LA LEGENDE
DES QUATRE

Cassandra O'Donnell

La Légende des Quatre

2. Le clan des tigres

Flammarion jeunesse

DE LA MÊME AUTRICE :

« Malenfer »

1. *La Forêt des ténèbres*
2. *La Source magique*
3. *Les Héritiers*
4. *Les Sorcières des marais*
5. *Terres de glace*
6. *Arachnia*

« Malenfer » en BD

1. *La forêt des ténèbres*
2. *La Source magique*
3. *Les Héritiers*

« Le monde secret de Sombreterre »

1. *Le Clan perdu*
2. *Les Gardiens*
3. *Les Âmes perdues*

« La Légende des Quatre »

1. *Le Clan des loups*
2. *Le Clan des tigres*
3. *Le Clan des serpents*

« La Nouvelle »

87, quai Panhard-et-Levassor – 75647 Paris Cedex 13
ISBN : 978-2-0814-1530-0

Dans les tout premiers temps, quand le pouvoir de la création imprégnait encore la terre, une âme pouvait, si elle le désirait, choisir de s'incarner soit en animal, soit en être humain. Les vivants étaient tantôt l'un, tantôt l'autre. Il n'y avait pas de différence car tous parlaient le même langage.

Ces temps étaient des temps d'harmonie. Des temps où l'esprit humain était capable de choses étonnantes, des temps où les mots possédaient un réel pouvoir, des temps où l'air, l'eau et la terre étaient encore imprégnés de la magie créatrice de mondes…

1

— Euh… tu es sûr de ce que tu fais ? grimaça Cook en regardant d'un air inquiet autour de lui.

Une forte odeur de résine emplissait la forêt. Les branches des arbres se balançaient au-dessus de sa tête en dessinant d'étranges ombres chinoises sur le sol et s'étendaient au-dessus du sentier comme pour empêcher les intrus d'entrer.

— Non, parce que ça va peut-être t'étonner, mais me faire égorger par une bande de canidés enragés ne figure curieusement pas sur la liste des trucs cool que j'avais prévu de faire aujourd'hui, poursuivit Cook d'un ton ironique.

Bregan leva les yeux au ciel. Il n'était pas stupide. Pénétrer sur le territoire des Lupaïs était complètement insensé. Il risquait non seulement sa vie en franchissant les frontières d'un autre clan mais aussi de déclencher la fureur du Conseil des tigres. Ce dernier s'était montré très clair : il ne lui pardonnerait pas la moindre incartade. Plus maintenant. Pas alors qu'il tenait Bregan en partie responsable de la rupture du traité de paix conclu avec les humains et que sa position de prochain souverain du clan Taïgan ne tenait qu'à un fil. Mais Bregan s'en moquait. Il était fou d'inquiétude. Il n'avait pas eu de nouvelles de Maya depuis plusieurs semaines et il devait la voir coûte que coûte.

— Si ça te fiche la trouille à ce point, tu peux toujours faire demi-tour, répondit Bregan d'un ton agacé.

Cook lui lança un regard incrédule.

— Ben voyons… Et à ta mère ? Je lui dis quoi à ta mère ? « Désolé d'avoir abandonné votre crétin de fils seul en territoire ennemi, vous ne m'en voulez pas, j'espère ? »

— Si je comprends bien, tu préfères te faire bouffer par la meute plutôt que de devoir affronter ma mère ?

Cook hocha vigoureusement la tête.

— Sans hésitation.

Bregan retint un sourire. La terreur qui s'allumait dans les yeux de Cook lorsqu'il parlait de Léna ne le surprenait pas vraiment. Sa mère était la plus impitoyable et la plus redoutable des tigresses de leur clan. Depuis la mort de son époux, le défunt roi, elle avait passé des années à provoquer en duel et à éliminer tous ceux qui cherchaient à s'interposer entre le trône et l'aîné de ses enfants. Aucun de ses ennemis n'en avait réchappé...

— Je sais ce que tu penses d'elle, ce que les autres pensent d'elle, mais elle n'est pas le monstre que tu imagines, remarqua Bregan en soupirant.

— Ah non ? ricana Cook d'un air sceptique avant de se figer brusquement.

Humant l'air, il sentit l'odeur d'un... non... de deux loups. L'un sous forme animale. L'autre sous forme humaine.

— Lupaïs ! Attention !

Bregan tourna la tête et tout se mit à ralentir autour de lui, comme un défilement d'images dont on pouvait voir le moindre détail. Plissant les yeux, il regarda un jeune Lupaï au pelage sombre foncer vers lui à la vitesse de l'éclair…

— Bregan ! hurla Cook d'un ton paniqué.

Bregan hésita à se transformer mais, son cerveau lui hurlant qu'il n'y parviendrait pas à temps, il se jeta en arrière et sentit un mouvement d'air tandis que les crocs du loup se refermaient sous son nez en un horrible claquement.

— Calme-toi, d'accord ? lança Bregan en s'écartant. Je ne suis pas venu pour…

Mais le jeune loup n'avait visiblement aucune envie de discuter. Les babines retroussées et le regard létal, il se mit à pousser un grondement si menaçant que l'instinct du Taïgan prit soudain le dessus. Sortant son couteau, Bregan sauta sur le dos du canidé d'un bond comme s'il avait un ressort à la place de la colonne vertébrale et pointa sa lame sous sa gorge poilue.

— J'ai dit « on se calme », je ne te veux pas de mal !

Pas de mal ? Mon œil ! songea le jeune Lupaï, puis, poussant un couinement de frustration, il se cambra brusquement comme l'aurait fait un cheval pour désarçonner son cavalier et se mit à rouler sur le sol pour lui faire lâcher prise.

— Arrête ça ou je vais me fâcher ! ordonna Bregan avant de ressentir une violente douleur au thorax.

Bregan avait beau, en tant que Yokaï, posséder des réflexes et une force surhumaine, si cet imbécile de loup continuait à se tortiller comme un ver, il allait finir par lui broyer les côtes.

— C'est fini, oui !!!? gronda Bregan en enfonçant suffisamment sa lame dans la gorge du Lupaï pour que quelques gouttes de sang apparaissent à travers sa fourrure. Tu commences sérieusement à me fatiguer ! Si tu continues, je…

Mais Bregan n'eut pas le temps de terminer sa phrase. Apercevant un mouvement du coin de l'œil, il sentit plus qu'il ne vit une masse énorme soudain percuter le Lupaï sur le côté.

— Cook ! Non ! hurla Bregan tandis qu'il était projeté dans les airs.

Quelques secondes plus tard, Cook, ses 350 kilos de muscles, ses crocs gigantesques et ses pattes phénoménales maintenaient si fermement le jeune Lupaï au sol qu'il était incapable de faire le moindre mouvement.

— Génial… C'est tout ce que tu as trouvé ? gronda Bregan en se relevant un peu sonné.

Cook tourna son énorme gueule vers Bregan et poussa un grondement amusé.

— J'avais la situation en main et vois maintenant, lança Bregan d'un ton glacial en regardant le filet de sang qui coulait de sa cuisse.

— Je peux savoir ce qu'il se passe ici ?

Cook, Bregan et le jeune Lupaï tournèrent aussitôt leurs regards vers la ravissante jeune fille brune qui les dévisageait d'un air hostile. Ses cheveux cascadaient jusqu'au milieu de son dos en ondulations parfaites, ses yeux noisette brillaient d'une lueur dorée, et elle portait un pantalon et une veste de peau kaki qui mettaient étrangement en relief la finesse de sa silhouette.

— Cléa ?

La jeune louve leva les yeux au ciel, puis, saisissant son arc, elle s'approcha de Cook, tendit sa flèche vers l'œil droit du tigre et déclara d'un ton menaçant :

— Cook, si tu ne relâches pas tout de suite mon petit frère, je t'écorche vif et je transforme ta sale peau de Taïgan en carpette !

Cook tourna sa gueule vers elle, puis, poussant un feulement franchement amusé, il libéra le jeune Lupaï et reprit forme humaine avant de déclarer d'un ton hilare :

— Tu sais que tu es vraiment mignonne quand tu es à cran ?

Cléa le fusilla aussitôt du regard.

— Ne me cherche pas, Taïgan, c'est vraiment pas le moment !

— Oh, allez ma jolie, détends-toi… on n'avait pas l'intention de faire de mal au louveteau, fit-il en lui adressant un clin d'œil.

Cléa pinça les lèvres.

— Tu n'es vraiment qu'un sale crétin arrogant !

Nullement impressionné par le regard noir de la louve, Cook se mit à rire.

— Que veux-tu que je te dise ? Ça fait partie de mon charme.

Cléa haussa les sourcils. Avec sa peau dorée, ses yeux en amande noirs et rieurs et son sourire étincelant, Cook était incroyablement sympathique, il était difficile de le nier. Mais elle n'était pas dupe : le tigre était un redoutable tueur et se fier à son expression joviale aurait été aussi dangereux et stupide que de jongler avec des fioles de nitroglycérine. Or, Cléa n'était pas stupide.

Poussant un soupir, elle reporta son attention sur Bregan.

— Qu'est-ce que tu fais là ? Tu as perdu la tête ?

— J'avais besoin de te voir et c'est ton chemin de ronde, non ?

Cléa fronça les sourcils.

— Comment… comment sais-tu que… ?

— Les corbeaux, répondit Bregan.

Cléa réprima une grimace. Les corbeaux de Nel bien sûr… Elle aurait dû remarquer quelque chose : elle savait que l'héritière des aigles avait la fâcheuse manie d'espionner les territoires ennemis grâce à ces maudites bestioles. Mais elle n'aurait jamais pensé que Nel s'en servirait contre elle, ni qu'elle informerait le prince des tigres de ses allées et venues.

Elle haussa les sourcils.

— Si je comprends bien, Nel et toi, vous continuez à enfreindre les ordres ? Vous vous fréquentez toujours ? C'est pour ça qu'elle t'a fourni l'aide de ses corbeaux ? Tu lui as demandé de t'aider ?

Depuis le terrible fiasco qui avait eu lieu sur les terres des hommes, les Conseils avaient formellement interdit aux quatre héritiers de se revoir et chacun d'entre eux se trouvait sous étroite surveillance. Mais visiblement, Bregan et la princesse des Rapaïs avaient trouvé le moyen d'échapper à leur vigilance.

— Je ne lui ai pas « demandé », je l'ai suppliée de m'aider, rectifia Bregan.

Cléa écarquilla les yeux, surprise. Supplier ? Le prince des Taïgans n'était pas du genre à supplier qui que ce soit. Il était bien trop fier. Bien trop orgueilleux pour s'abaisser à... non, c'était impossible et pourtant, pourtant quelque chose dans son regard disait qu'il ne mentait pas.

— Pourquoi, Bregan ? Qu'est-ce que tu veux ? Qu'est-ce que tu attends de moi ?

Il plissa les yeux et la dévisagea longuement.

— Tu sais parfaitement ce que je veux.

Cléa détourna le regard.

— Je ne peux rien dire.

— Où est Maya ?

Cléa prit une profonde inspiration. Maya… l'héritière des loups… c'était pour elle que le Taïgan prenait tous ces risques, bien entendu. Elle aurait dû s'y attendre. Ces deux-là étaient comme deux aimants inexorablement attirés l'un vers l'autre.

— Elle m'a demandé de ne rien dire, c'est clair ? De toute façon, tu ne peux pas l'aider.

Bregan se pencha et approcha sa bouche de l'oreille de la jeune louve.

— Où est-elle, Cléa ?

Cléa sentit un frisson remonter le long de son dos. Trop près. Bregan se tenait trop près, et elle pouvait pratiquement voir les rayures noires de son tigre sous la finesse de sa peau. Luttant pour détendre ses muscles, Cléa inspira profondément.

— Elle est toujours enfermée. Bon sang, mais qu'est-ce qu'il t'a pris de venir ici ? Tu es sur les terres des Lupaïs, tu es complètement malade de…

— J'en ai assez d'attendre, gronda-t-il brutalement. Ça fait des semaines maintenant ! Tu m'avais dit que ça se calmerait et que Maya serait libérée une fois que le Conseil des loups aurait statué...

— Eh bien j'avais tort !

— Quoi ?

— J'avais tort, d'accord ? Tort, tort, tort sur toute la ligne !!!

Bregan la scruta longuement. Cléa était sur le point d'exploser. Des larmes se mirent à couler sur ses joues.

— Je me suis trompée... Je n'ai jamais pensé qu'ils le feraient. Jamais... enfin... pas vraiment...

Bregan lui agrippa brutalement le bras.

— Que se passe-t-il ?

— Le... le Conseil a délibéré hier. Ils ont décidé de la bannir, Bregan, de la chasser de nos terres et du clan. Elle va devoir partir à la prochaine pleine lune.

Bregan blêmit comme s'il venait de prendre un coup de poing en plein visage.

— Quoi ?

— Ils... ils ont dit qu'elle avait enfreint la loi, qu'à cause d'elle, de ce qu'elle avait fait, les humains allaient nous déclarer la guerre et qu'il y aurait de nombreux morts.

Bregan sentit soudain la colère le submerger. Ni Maya, ni Nel, ni Wan, ni lui, aucun des quatre héritiers ne s'était rendu sur les terres des hommes avec l'intention d'y perpétrer un massacre. Non, tout ce qu'ils voulaient, c'était découvrir qui avait commandité les meurtres de Callen, la sentinelle des loups, de Tyr, le vieux Taïgan, ainsi que l'attaque qui avait eu lieu à l'école. Ni plus, ni moins. Et si les gardes de la citadelle d'Havengard n'avaient pas été les premiers à déclencher les hostilités, les héritiers n'en seraient jamais arrivés à de telles extrémités.

— Que voulaient-ils qu'on fasse ? Qu'on laisse les humains nous tuer sans rien faire ?

— Ce n'est pas moi qu'il faut convaincre, Bregan, moi je sais ce qu'il s'est passé, répondit Cléa tristement.

— Tu l'as dit au Conseil ? Tu leur as expliqué ?

Le visage de Bregan était froid et sans expression. Un humain aurait pu s'y tromper et penser qu'il se maîtrisait parfaitement, mais Cléa était une louve et l'aura de fureur qui s'échappait de la peau du Taïgan était si intense qu'elle sentit un frisson lui remonter le long de l'échine.

— Bien sûr que je le leur ai expliqué, mais…

— Mais quoi ? Ils ne t'ont pas crue ?

— Non. Ils avaient *décidé* de ne pas me croire, rectifia-t-elle doucement. Tu l'ignores probablement, mais le pouvoir du roi Jolan, notre chef de meute, est contesté ces derniers temps. Il a de nombreux ennemis au sein du Conseil, des ennemis qui cherchent à tout prix à le déstabiliser…

Bregan fronça les sourcils tandis qu'une lueur de compréhension s'allumait dans son regard.

— Alors ils s'en sont pris à sa fille.

C'était moins une question qu'une affirmation, mais Cléa opina néanmoins du chef.

— Moi, ils m'ont laissée tranquille parce qu'ils n'avaient rien à gagner en me prenant pour cible, mais en tant que fille du roi, Maya n'avait aucune chance de s'en sortir : l'occasion pour eux était trop belle.

Les loups et leurs agissements tordus, songea Bregan en grinçant des dents. Ces crétins étaient incapables de voir plus loin que le bout de leur nez. Ils gaspillaient leur temps en d'insignifiantes luttes de pouvoir au lieu de focaliser leur attention sur le véritable danger : les humains. Les humains et la tempête qui se préparait.

— Ôte tes mains de ma sœur, Taïgan ! gronda soudain une voix dans son dos.

Bregan tourna la tête. Le jeune frère de Cléa, Kyo, avait repris forme humaine. Brun, les yeux noirs et âgé de 12 ou 13 ans, il dévisageait Bregan d'un air hargneux.

— Quoi ?

— Je t'ai dit d'ôter tes mains de ma sœur !

Bregan baissa les yeux et, réalisant qu'il maintenait toujours fermement le bras de Cléa, il desserra sa prise et recula d'un pas.

— Désolé. Je n'avais aucune intention de…

— Je me moque de ce que tu avais l'intention de faire ou non ! rétorqua Kyo en franchissant en quelques pas la distance qui le séparait de Bregan. Tout ça, c'est de ta faute !

— Kyo, laisse tomber ! lui ordonna Cléa en frottant son bras meurtri.

— Pourquoi ? C'est pas vrai !? C'est lui qui vous a entraînées Maya et toi dans cette histoire, non ? S'il n'avait pas demandé à Maya de l'aider, s'il ne lui avait pas mis toutes ces idées stupides en tête, elle n'en serait pas là aujourd'hui !

— Kyo, arrête, tu veux ! le réprimanda sèchement Cléa.

Mais le jeune loup l'ignora et planta son regard sombre dans les yeux émeraude de Bregan.

— À cause de toi, je l'ai perdue... on l'a tous perdue !

— Hum... C'est sûrement génétique, ricana soudain Cook.

Cléa, Kyo et Bregan ne semblaient pas comprendre la remarque du Taïgan.

— Ce mauvais caractère... ça doit être un trait de famille, poursuivit Cook en faisant un clin d'œil à Cléa.

Cette dernière lui décocha un regard noir.

— Tu trouves ça drôle ?

— Non, ma jolie, je trouve ça injuste. Maya, Bregan, Wan et Nel ont pris leur décision seuls. Ils connaissaient les risques. Je trouve dommage le châtiment que ton clan a réservé à Maya mais mon prince n'a rien à voir là-dedans, déclara Cook d'une voix dure.

Kyo, les poings serrés se pencha vers sa sœur.

— Cléa, dis-leur de s'en aller.

Agacé, Cook se tourna néanmoins vers Bregan.

— Le sale gosse a raison. On ne peut pas s'attarder plus longtemps.

Bregan regarda Cook tristement. Si tristement que le Taïgan sentit son cœur se serrer.

— Ils l'ont chassée, tu sais ce que ça signifie, non ? Tu sais ce qu'il va lui arriver…

Les loups vivaient en meute. Plus que n'importe quel Yokaï, les Lupaïs avaient besoin les uns des autres. Vivre au sein d'un clan était vital pour eux. Aussi vital que respirer. Les loups bannis se laissaient pratiquement tous mourir, et ceux qui parvenaient à survivre devenaient des bêtes sauvages et meurtrières incapables de reprendre forme humaine.

— Je ne peux pas l'abandonner, fit Bregan d'une voix sourde.

Cook posa sa main sur l'épaule de Bregan.

— Je sais, oui. On trouvera un moyen, mais pour l'instant il faut partir.

Cléa avança d'un pas vers Bregan.

— Cook a raison. Si les miens vous trouvent ici, ils vous tueront, ils vous tueront à coup sûr !

Bregan esquissa un rictus.

— Et tu crois que ça m'effraie ?

— Tu n'es qu'un sale égoïste ! Tu sais ce qu'ils feront à ma sœur s'ils te voient avec elle, ici ? demanda Kyo d'un ton rageur. Que Maya soit punie et qu'elle meure par ta faute, ça ne te suffit pas ?

Le mouvement de Cook fut si rapide que le jeune loup n'eut pas le temps de réagir.

— Imbécile ! gronda Cook en lui assenant une énorme gifle.

Cléa secoua la tête en regardant la joue rougie de son frère.

— Cook...

— Il l'a méritée, se contenta de répondre sèchement le Taïgan.

Cléa ouvrit la bouche pour protester puis la referma brusquement. Elle comprenait la tristesse de son frère, mais Kyo était allé trop loin. Bregan ne méritait ni sa colère ni ses reproches. Il s'était pratiquement sacrifié pour sauver Maya lorsqu'elle se trouvait sous le feu de l'ennemi à la citadelle et il était tellement inquiet pour elle qu'il n'avait pas hésité à risquer une nouvelle fois sa vie en pénétrant sur les terres des Lupaïs aujourd'hui.

Elle poussa un profond soupir puis s'adressa à Bregan :

— Va-t'en... Si tu ne veux pas envenimer la situation, va-t'en. Je te tiendrai au courant. Je trouverai un moyen, je te le promets.

Bregan la dévisagea et acquiesça.

— Quand est la prochaine pleine lune ?

— Dans quinze jours, répondit Cléa d'une voix atone.

Quinze jours... il me reste quinze jours pour sauver Maya, songea Bregan. Puis il attrapa Cook par le bras et ils se mirent à courir vers la frontière située à une centaine de mètres de là.

Cléa les suivit un instant des yeux puis elle se tourna vers son jeune frère :

— Laisse-moi seule un moment, j'ai besoin de réfléchir.

2

Maya ouvrit la fenêtre. L'air extérieur était léger et aussi doux qu'une caresse. Elle inspira profondément, se laissant envahir par l'odeur de la forêt et prêtant l'oreille aux couinements et jappements des louveteaux qui grognaient et chahutaient un peu plus loin. Si elle avait été sous sa forme de louve, elle aurait aussi pu entendre les bruits des loups adultes qui chassaient ou ceux des sentinelles qui couraient au fond des bois, mais son ouïe sous forme humaine n'était pas assez affûtée. Frustrée, elle se pencha légèrement au-dessus du rebord de la fenêtre en espérant tout de même capter un son ou un mouvement près de la maison, lorsqu'elle sentit tout à coup ses jambes se dérober sous elle. Non. Non, songea-t-elle en se laissant glisser sur le sol. Pas maintenant. Je ne dois pas. Je ne peux pas. Elle devait se concentrer. Il le fallait. C'était le seul moyen. Serrant les dents, elle tenta de contrôler sa respiration avant de réaliser que la douleur qui parcourait son corps était si intense qu'elle lui coupait le souffle. Deux mois. Cela faisait deux mois que Maya était enfermée dans cette chambre. Deux mois qu'elle était contrainte de rester sous sa peau humaine, deux mois qu'elle étouffait et dépérissait de jour en jour. Deux mois qu'elle luttait contre l'envie irrépressible de se transformer.

— Maya ! Maya ! Non ! Il ne faut pas ! s'exclama soudain une voix fluette.

Maya leva la tête et posa son regard ambré sur sa jeune sœur. Hope avait l'air paniqué. Mais Maya avait beau chercher, elle ne comprenait pas pourquoi. Elle était incapable de réfléchir. La louve s'agitait en elle, étouffant chacune de ses pensées.

— Si tu changes, tu te sauveras et ils te feront du mal ! Je ne veux pas ! Je ne veux pas ! hurla de nouveau Hope en essayant de lutter contre les larmes qui lui perlaient aux yeux.

Au prix d'un terrible effort, Maya parvint à saisir quelques mots. Son visage se crispa mais le seul son qui sortit de sa gorge fut un grondement animal. La louve était là, juste sous la surface. Et elle faisait remonter le cœur de la jeune fille jusque sous sa langue.

— Maya ! S'il te plaît, ne fais pas ça ! la supplia encore Hope en essuyant d'un revers de manche les larmes qui coulaient sur ses joues.

Maya se nourrissait des fragments de phrases et de l'angoisse qu'elle lisait sur le beau visage de sa petite sœur pour se raccrocher à ce qu'il lui restait d'humanité. Laisser sortir la louve après autant de temps aurait de terribles conséquences, elle le savait. La bête ne resterait pas enfermée. Jamais. Elle n'hésiterait pas à se sacrifier, à *les* sacrifier pour un instant de liberté.

— MAYA !!! gronda soudain une voix d'un ton autoritaire.

— Papa, aide-la... vite ! Elle est en train de changer ! fit Hope en lâchant la main de Maya pour se précipiter vers son père.

Jolan fronça les sourcils, avança près de sa fille aînée et la souleva avant de planter son regard dans le sien.

— RAVALE TA LOUVE ! Ravale-la tout de suite ! gronda-t-il d'une voix si puissante et impérieuse que l'air se mit à vibrer.

La partie animale de Maya se figea aussitôt. Même si elle le désirait fortement et mourait d'envie de se libérer, la bête ne pouvait se dérober à un ordre de son chef de meute. C'était impossible. Poussant un hurlement de frustration que nul ne pouvait entendre, elle rebroussa chemin et partit, la queue basse, se tapir à l'intérieur de la jeune fille.

Reprenant ses esprits, Maya laissa échapper un soupir de soulagement.

— Mer... merci papa.

Jolan la reposa brutalement sur le sol et demanda d'un ton sec :

— À quoi est-ce que tu pensais ? Tu es devenue folle ?

Maya sentit sa gorge se serrer.

— Bien sûr que je deviens folle, qu'est-ce que tu imagines ? Ça fait deux mois que je suis coincée entre ces quatre murs ! Je n'en peux plus ! lâcha-t-elle avec un tremblement dans la voix.

Jolan plissa les yeux.

— Et à qui la faute, hein ?

Maya prit une profonde inspiration. C'était de sa faute, bien sûr que c'était de sa faute si le Conseil l'avait emprisonnée dans sa propre maison. Elle savait parfaitement ce qu'elle risquait en s'alliant à Bregan, Nel et Wan. Elle avait enfreint la loi et de nombreux humains étaient morts sous ses crocs, ça ne faisait aucun doute. Mais si elle avait mal agi, alors pourquoi ne se sentait-elle pas coupable pour autant ? Pourquoi n'éprouvait-elle aucun remords ?

— Tu as raison, c'est de ma faute. Je suis responsable de ce qu'il m'arrive, c'est ce que tu veux entendre, non ? Alors très bien, je suis la seule coupable et je n'ai à m'en prendre qu'à moi-même, ça te va comme ça ? demanda-t-elle avec un regard de défi.

Jolan s'approcha si près de Maya qu'elle pouvait pratiquement sentir son souffle furieux sur son visage.

— Tu crois vraiment que c'est ce que je veux entendre ?

Franchement, Maya ne savait pas quoi répondre. Jolan ne lui avait pas adressé la parole depuis des jours. Il n'avait cherché ni à comprendre ni à la réconforter. Quand il était à la maison, il restait assis des heures près de la cheminée, la mine sombre, perdu dans ses pensées.

— Écoute, je sais que je t'ai déçu et pour ça je suis désolée… vraiment.

Jolan haussa les sourcils.

— Déçu ? C'est ce que tu penses ?

Maya le regarda, déconcertée, tandis qu'il secouait la tête.

— Je ne suis pas déçu. Je suis furieux, Maya.

— Oh…, murmura-t-elle en sentant son estomac se contracter.

Furieux ? Alors c'était ça ? C'était pour cette raison qu'il refusait de lui parler ou de l'approcher ? Il avait peur de la blesser dans un éclat de fureur ?

— Bon Dieu, Maya ! Tu as été bannie, comment pensais-tu que j'allais réagir ?

Maya blêmit. « Bannie. » Ce mot si insupportable, si atroce, si terrible qu'on n'osait le murmurer que derrière les portes closes, l'accompagnait chaque heure, chaque minute, chaque seconde, depuis le verdict du Conseil.

— Tu m'en veux, je peux le comprendre. Je t'ai mis dans une position délicate vis-à-vis du Conseil et…

Jolan secoua de nouveau la tête.

— Tu te trompes encore. Ce n'est pas à toi que j'en veux, mais à moi, Maya. Je n'ai pas su te protéger. Et là encore, je suis incapable de…

Il s'interrompit et frappa violemment contre le mur. Hope, qui était restée silencieuse depuis le début de leur conversation, poussa un petit cri de frayeur. Maya la rejoignit, passa un bras autour de son épaule pour la réconforter tandis que Jolan continuait à détruire l'intégralité du mur à coups de poing.

Question : Comment convaincre un Lupaï ultrapuissant de se calmer quand il pète les plombs ? Réponse : Vous ne le pouvez pas.

Maya et Hope attendirent donc patiemment que Jolan se défoule en croisant les doigts pour qu'il ne s'attaque pas au reste de la maison. L'une comme l'autre n'avaient jamais vu leur père se comporter de cette façon mais elles comprenaient la gravité de ce qu'il était en train de se passer : Jolan était blessé. Son âme et son esprit souffraient et les conséquences risquaient d'être terribles. Pas seulement pour lui mais pour tous les Lupaïs. Le chef de meute reflétait la bonne santé mentale et physique du clan. Il était leur équilibre. Leur guide et leur refuge. Celui qui les empêchait tous de sombrer. S'il perdait le contrôle, le reste de la meute ne tarderait pas à suivre.

— Papa est triste, hein ? demanda Hope en levant les yeux vers Maya.

Le regard de la louve croisa celui de sa jeune sœur. Hope avait à peine 8 ans. Avec sa bouille ronde, ses jolis cheveux courts et bouclés et ses grands yeux bruns, elle ressemblait à une poupée.

— Oui, répondit Maya en s'efforçant de sourire.

— Mais… mais le Conseil peut changer d'avis, non ? Papa peut…

— Papa ne peut pas m'aider, Hope. C'est pour ça qu'il est si triste.

— Ben si c'est ça, tant pis, je partirai avec toi, décréta Hope d'un ton boudeur.

Maya secoua la tête et ébouriffa les cheveux de la fillette d'un geste affectueux.

— Ne dis donc pas de bêtises.

Hope ne réagit pas. Son visage resta de marbre et elle fixait Maya avec un regard si empli de désespoir que cette dernière sentit sa gorge se serrer.

— Je ne dis pas de bêtises. Si tu t'en vas, je pars avec toi.

Maya détourna les yeux et se contenta de la presser contre elle. Non. Ça n'arriverait pas. Jamais. Elle ne le permettrait pas. Hope devait vivre. Grandir. Être heureuse. Hope devait vivre la vie que Maya aurait eue si elle n'avait pas été bannie. Si elle avait vécu. Elle devait vivre pour elles deux.

— Hope, écoute-moi : je veux que tu t'occupes de papa quand je ne serai plus là. Il n'aura plus que toi, tu comprends ?

— Mais…

— Ne t'inquiète pas pour moi, je me débrouillerai, il ne m'arrivera rien. Et quand tu seras plus grande, je viendrai te rendre visite de temps en temps, mentit Maya avec conviction.

— Tu auras le droit ?

— Bien sûr, mentit de nouveau Maya. Il n'y a aucune raison pour que le Conseil refuse.

Un sourire lumineux éclaira le visage de la fillette.

— Ah bon, alors si c'est ça, ça va.

Maya lui retourna son sourire, un sourire absent de son regard, puis tourna la tête vers Jolan. La pièce était redevenue silencieuse. L'air s'était épaissi. Des gravats recouvraient le sol et le loup avait le regard si vide que Maya sentit son cœur se briser.

— Papa ?

Jolan se tourna doucement vers elle.

— Je suis tellement désolé, fit-il d'une voix rauque.

Maya hocha doucement la tête.

— Je sais, fit-elle avant de reporter son attention sur Hope.

— Je dois parler à papa, tu veux bien nous laisser seuls une minute ?

— D'accord, mais après je reviens.

— Bien sûr que tu reviens, tu sais très bien que je m'ennuie quand tu n'es pas là, petite peste, répondit Maya avec une gaieté feinte.

Puis elle attendit que sa sœur disparaisse et se jeta dans les bras de Jolan.

— Pardon ! Je n'avais pas compris… je… je croyais que tu me détestais, que tu étais tellement fâché contre moi que tu te moquais de ce qu'il pouvait m'arriver…

— Idiote ! Je n'ai pas le droit d'abandonner ta sœur mais… si ça ne tenait qu'à moi, je partirais avec toi. Je n'hésiterais pas une seule seconde.

Les mots s'étranglèrent dans la gorge du loup. Ses bras d'acier l'entourèrent et pulvérisèrent brusquement le mur que Maya avait dressé autour de son cœur et qui l'aidait à tenir depuis qu'elle avait été condamnée. Elle éclata en sanglots.

— J'ai peur, si peur, si tu savais…

Jolan prit le visage de Maya entre ses mains.

— Il n'y a pas de raison. Tu es ma fille. Tu es puissante et, mieux que n'importe quel membre de cette meute, tu comprends et maîtrises le khategaï. Si tu continues à suivre ses préceptes, tu ne perdras pas ton humanité. Jamais.

Le khategaï ? Oui, Maya comprenait le khategaï, leur loi à tous. Celle qui leur permettait de ne pas devenir des bêtes sauvages. Celle qui permettait de vivre en harmonie avec les deux faces de leur personnalité : animale et humaine. Bref, celle qui leur permettait tout simplement d'« être ».

— Mais… je serai seule, si seule…

Jolan ne pouvait pas mentir. Pas avec le regard clair qu'elle posait sur lui. Il la serra de nouveau dans ses bras.

— Ça ne durera pas. On trouvera un moyen. *Je* trouverai un moyen, même si je dois défier en combat singulier chaque membre de ce foutu Conseil et le tuer de mes propres mains, déclara-t-il d'un ton contenant tant de colère que Maya sentit tous les poils de son corps se hérisser.

3

— Où étais-tu ? interrogea Léna, la bouche pincée, en dévisageant Bregan.

Ce dernier claqua la porte derrière lui et pivota vers sa mère. Le regard de la tigresse était dur. La rage y couvait, à quelques degrés de l'explosion.

— Je suis allé prendre l'air. Pourquoi fais-tu cette tête ? Il y a un problème ? fit Bregan d'un ton faussement nonchalant.

Léna était plus petite que son fils. Brune entre deux âges, elle était discrète, fine et jolie.

La plupart des humains qui avaient eu l'occasion de la croiser sous sa forme humaine la considéraient comme une toute petite chose. Une fragile petite chose. Ce qui prouvait, si besoin était, leur parfait manque de discernement.

— Tu as semé tes gardes. Pourquoi ? demanda-t-elle d'un ton suspicieux.

Bregan se rembrunit. Depuis les derniers événements et son incursion sur la terre des hommes, le Conseil des tigres avait doté leur « prince » d'une garde rapprochée. Officiellement, pour le protéger. Officieusement, dans le but de le surveiller.

— J'avais besoin de solitude.

Les yeux de Léna lancèrent des éclairs.

— Imbécile ! Tu ne comprends rien, hein ? Le Conseil ne te pardonnera plus le moindre faux pas, tu en as conscience ?

Il arqua un sourcil.

— Et ?

— Et qu'est-ce que tu t'imagines ? Que tu es le seul à avoir du sang royal dans les veines ? Que feras-tu si le Conseil désigne un autre roi ?

Bregan soupira. Il n'ignorait pas que son oncle, Vryr, tentait depuis plusieurs semaines de convaincre les membres du Conseil de nommer son fils, Sirus, héritier à la place de Bregan.

— Tu crois que c'est ma principale préoccupation ? On va bientôt entrer en guerre, les clans ne parviennent pas à s'entendre sur une stratégie commune…

— Quoi ? Encore cette histoire avec les humains ? Les humains ne sont rien, rien du tout !

Une lueur d'exaspération s'alluma dans le regard de Bregan.

— Je ne crois pas que ce sera aussi facile. Je te rappelle que cette fois ils sont organisés et armés.

— Mais ils restent faibles. Toute leur espèce est d'une faiblesse écœurante, lança-t-elle avec dégoût.

Bregan poussa un soupir intérieur. Léna était calculatrice, elle pensait généralement froidement et sans affect, mais elle pouvait aussi se montrer parfois atrocement arrogante. Tellement arrogante qu'elle en devenait aveugle. Comme aujourd'hui.

— Si c'est ce que tu penses…

— Mais tu ne partages pas mon avis ?

— Non.

— Pourquoi ? Tu as pourtant tué les cent gardes armés de la citadelle sans que ça te pose le moindre problème.

— Je n'étais pas seul, lui fit-il remarquer. Nel, Maya et Wan ont combattu ces humains à mes côtés.

Léna prit un temps de réflexion. Elle devait reconnaître qu'en dépit de leur jeune âge, les héritières des clans loup et aigle ainsi que le prince des serpents étaient de vrais cauchemars ambulants.

— Tu sais que je t'ai demandé de ne plus jamais prononcer leurs noms devant moi. S'ils ne t'avaient pas entraîné dans…

— Arrête ! Tu sais très bien que ce n'est pas le cas, gronda Bregan. C'est moi. C'était mon idée.

— Une idée stupide, si tu veux mon avis, fit remarquer Léna d'un ton cinglant.

Un sentiment de tristesse envahit soudain Bregan.

— Tu ne crois pas si bien dire…

— Qu'est-ce que tu veux dire ?

— Rien. Écoute, je sais que tu es une femme intelligente, perspicace et douée en politique, mais je crois que toi, comme le Conseil, êtes trop aveuglés par vos conflits internes pour évaluer correctement la situation.

Elle esquissa un sourire sarcastique.

— Alors que toi, non ? Toi tu y vois clair, peut-être ?

— Ça se pourrait bien, oui, répondit Bregan avant de lui tourner de dos et de grimper les escaliers quatre à quatre.

*

À une trentaine de kilomètres de là, sur le territoire des hommes…

— Les accords de paix conclus avec les Yokaïs ne sont plus d'actualité. Un monde nouveau s'offre enfin à nous…

Les cinq dirigeants de faction « Résilience », le mouvement de résistance des humains, écoutaient leur chef, Aganel, en silence.

Eux aussi détestaient « les bêtes » et voulaient les voir mortes, mais contrairement à lui, la guerre qui se profilait à l'horizon ne leur donnait nullement envie de sourire.

D'abord parce que les Yokaïs n'étaient pas des adversaires à prendre à la légère. Ils étaient puissants et cruels. Et ensuite parce que les hommes avaient, dans le passé, perdu toutes les batailles qui les avaient opposés à ces animaux démoniaques.

— Quoi ? demanda Aganel en les dévisageant tour à tour. Que vous arrive-t-il ? Pourquoi ces regards lugubres ?

— Il a suffi de cinq jeunes Yokaïs pour écraser une centaine de nos hommes. Que penses-tu qu'il arrivera quand nous devrons affronter leurs clans tout entiers ?

Aganel fronça les sourcils. Il comprenait le doute que la destruction de la citadelle d'Havengard avait insufflé dans l'esprit de ses hommes, mais ces derniers se trompaient sur un point : les responsables de ce massacre, Bregan, Wan, Nel et Maya, les héritiers des quatre clans Yokaïs, n'étaient ni des gosses, ni des adolescents ordinaires.

— Ce sera différent. Ce sera différent parce qu'à ce moment-là, nous aurons récupéré ce que Duncan a découvert sur les terres mortes…

Tous ne purent s'empêcher de blêmir en l'entendant prononcer à voix haute le nom des terres mortes, ces terres maudites où vivait autrefois le vieux peuple.

— Ces choses… elles pourraient faire autant de dégâts que Duncan le dit ? demanda un deuxième homme.

Duncan était l'un de leurs meilleurs hommes et il était habituellement digne de confiance, mais ce qu'il leur avait raconté sur ce qu'il avait vu sur les terres maudites était si inimaginable qu'ils avaient beaucoup de mal à y croire.

— Bien plus encore que tu ne pourrais l'imaginer, confirma Aganel.

Cela faisait des années qu'il attendait une telle opportunité. L'opportunité d'obtenir le pouvoir, le vrai. Celui que détenaient actuellement les hommes-bêtes. Les terres les plus riches, l'eau, les anciennes mines, les forêts, les prairies, les animaux, tout leur appartenait, tandis que les humains devaient se contenter de vivre dans des villages et des cités surpeuplées, parqués comme des bêtes. Mais c'était terminé. Duncan était reparti sur les terres maudites afin de leur rapporter de là-bas quelque chose qui pourrait peut-être, bientôt, tous les sauver.

— Quand Duncan et ses hommes seront-ils de retour ? demanda un troisième homme.

— Ils seront là d'ici une douzaine de jours.

— Douze jours, c'est long, remarqua un quatrième. Que se passera-t-il si les gamins reviennent fourrer leur nez dans nos affaires ? Ils sont malins, plus malins et dangereux que…

— Ne vous inquiétez pas. Pour le peu que j'en sais, les héritiers ont bien d'autres problèmes à régler, déclara Aganel avec un petit rictus.

*

Cook poussa un profond soupir. Après son incursion sur le territoire des loups, Bregan et lui avaient couru tout le long du chemin du retour sous leur forme humaine, or, il faisait chaud. Très chaud. À peine rentré à la maison, il s'était précipité sous la douche et, tout en s'attardant sous le jet d'eau, il avait songé à Bregan. Comment son prince, son meilleur ami, pouvait-il être intéressé à ce point par l'héritière du clan loup ? Pourquoi le sort de Maya lui importait-il tellement ? Bien sûr, la louve avait sauvé son jeune frère Mika quand il s'était perdu sur le territoire des Lupaïs, et elle et Bregan avaient combattu ensemble à Havengard, mais cela n'expliquait pas les risques que ce dernier avait pris pour la voir, ou l'angoisse et la peur qu'il avait lues sur le visage de Bregan lorsque celui-ci avait appris que le clan des loups avait banni Maya. Non, la seule chose qui pouvait expliquer un tel comportement était… non… c'était idiot. Bregan ne pouvait pas éprouver de sentiments pour la Lupaï. Impossible. Bregan avait un nombre incalculable de petites amies. Toutes n'étaient pas aussi belles que Maya mais au moins deux d'entre elles n'avaient rien à lui envier. Et puis son prince avait beau avoir un esprit rebelle, il savait parfaitement qu'il existait certaines règles auxquelles même lui ne pouvait se permettre de déroger…

— Cook, rejoins-moi dès que tu as terminé, j'ai besoin de te parler, fit soudain une ombre derrière la paroi de douche.

Cook sentit son estomac se nouer. Léna. Léna avait remarqué l'absence de Bregan et elle était probablement venue chez lui pour lui tirer les vers du nez. Sortant précipitamment de la douche, le jeune Taïgan se rua dans sa chambre, enfila un tee-shirt et un pantalon de peau et descendit à toute berzingue les escaliers. Léna l'attendait dans la petite pièce qui lui servait à la fois de cuisine, de salon et de salle à manger.

— Alors ?

Le regard de la tigresse était inquisiteur et elle le dévisageait comme si elle hésitait entre l'égorger et le bouffer. Peut-être même les deux.

— Alors quoi ? demanda Cook en baissant humblement les yeux.

— Je sais que tu étais avec mon fils cet après-midi. Où étiez-vous ?

Cook grimaça intérieurement. Il était inenvisageable de ne pas lui répondre. Pas seulement parce qu'il redoutait la tigresse, mais parce qu'il ne pouvait s'empêcher de lui être reconnaissant et qu'il avait une dette envers elle depuis qu'elle l'avait pris, enfant, sous son aile. Cook avait perdu ses parents très jeune durant la guerre et c'était la mère de Bregan qui lui avait enseigné tout ce qu'il savait. Elle, qui lui avait permis de grandir et qui l'avait protégé de tous ceux qui avaient essayé de se débarrasser de lui jusqu'à ce qu'il soit en mesure de se défendre lui-même. Elle, qui avait trouvé une famille aimante à sa jeune sœur. Il ne pouvait pas lui mentir. Du moins, pas complètement.

— On… on s'est promenés…

Elle s'approcha si soudainement de Cook qu'il sursauta.

— Où ? Mon fils sentait le loup quand il est rentré à la maison. Où étiez-vous ?

Des flashs surgirent dans la tête de Cook. Bregan s'était battu avec le petit frère de Cléa quand ce dernier était sous sa forme animale. Il portait donc forcément l'odeur du Lupaï sur ses vêtements en rentrant chez lui. Mais ni lui ni Cook n'y avaient malheureusement prêté attention.

— On s'est rendus à la frontière du territoire Lupaï. Bregan voulait savoir si le Conseil des loups avait délibéré sur le sort de la princesse des loups, répondit-il.

Léna fronça les sourcils d'un air contrarié.

— Pourquoi ? En quoi cela le concerne-t-il ?

Cook réfléchit à la vitesse de l'éclair.

— Je crois qu'il culpabilise.

Léna haussa un sourcil, étonnée.

— Pourquoi ? Pourquoi mon fils devrait-il se sentir coupable de quoi que ce soit ?

— Se rendre sur les terres neutres était son idée, je crois qu'il se sent responsable de ce qui arrive à la canidée.

Léna plissa les yeux. Ainsi donc, Bregan avait dit la vérité. C'était lui l'instigateur de tout ça. Lui qui avait proposé au prince des serpents et aux deux héritières des clans Rapaï et Lupaï de s'allier avec lui, lui qui les avait convaincus de le suivre, et non l'inverse. Décidément, ce garçon était impossible...

— Et qu'arrive-t-il à la canidée ?

Cook hésita, puis répondit :

— Ils l'ont chassée. Elle devra partir à la prochaine pleine lune.

Le visage de Léna restait impassible, mais Cook avait vu l'éclair de surprise qui avait traversé son regard l'espace d'une seconde.

— Je vois. Et comment mon fils a-t-il réagi ?

Mal. Très mal. Il était comme un fou et avait l'air d'avoir le cœur brisé, songea Cook avant de mentir ouvertement cette fois :

— Comment voulez-vous qu'il réagisse ? Il était un peu contrarié, bien sûr.

Léna ne cacha pas sa satisfaction. La punition infligée à la Lupaï était sévère mais c'était une excellente leçon. Une leçon qui marquerait Bregan et qui le rendrait probablement plus prudent à l'avenir. Léna n'avait de cesse de lui répéter que chaque décision avait des conséquences : le bannissement de cette fille était l'une d'elles.

— Bien, approuva Léna avec un petit rictus.

— Bien ?

— Mon fils est intelligent. Il saura en tirer les conclusions qui s'imposent.

Cook dévisagea Léna puis hocha la tête sans conviction. La tigresse se trompait. Bregan n'allait pas retourner dans le rang et se conformer aux décisions que sa mère ou le Conseil lui imposeraient par peur d'être exclu lui aussi. Il ne se plierait jamais à la volonté de qui que ce soit.

Léna se leva et se dirigea vers la porte.

— Je ne te punirai pas pour avoir laissé Bregan se rendre en territoire Lupaï, mais je compte sur toi pour que ça ne se reproduise plus à l'avenir.

Cook déglutit.

— Quoi ?

— Tu es le frère de sang de mon fils, ton rôle est de le protéger, y compris contre lui-même, tu comprends ?

— Et qu'est-ce que j'aurais dû faire ? L'assommer pour l'empêcher d'y aller ?

Léna le regarda durement.

— Pourquoi pas ?

— Si j'agis de cette façon, il ne me fera plus confiance, lui fit remarquer Cook en soupirant.

Léna l'examina longuement puis poussa un soupir. Ce que disait Cook n'était pas dénué de sens.

— Alors agis avec finesse. Arrange-toi pour qu'il reste en sécurité et pour qu'il ne revoie plus ni la louve ni le serpent ni l'aigle. Le Conseil ne lui pardonnerait pas une autre trahison.

Cook réfléchit. Nel et Wan ne représentaient pas de danger pour le moment. Bregan restait distant avec ces deux-là et, pour le peu que Cook en savait, il n'éprouvait aucune forme de sympathie pour eux. Leur « association » avait été une simple affaire de circonstances. Or les circonstances changeaient perpétuellement. Mais pour Maya, c'était complètement différent. Bregan semblait vraiment attaché à elle. Et même si Cook n'en comprenait pas la raison, il savait que, quoi qu'il fasse, il ne pourrait pas le tenir longtemps éloigné de la Lupaï.

— Ce n'était pas une trahison. Les héritiers se sont simplement découvert un ennemi commun et ils ont décidé de le combattre ensemble, se contenta-t-il de répondre.

Léna avança vers lui en plissant les yeux.

— Ne me dis pas que tu approuves cette alliance contre nature ?

— Je ne l'approuve pas, non. Mais je comprends leur raisonnement. Vous savez ce qu'on dit : l'ennemi de mon ennemi…

Il n'eut pas le temps de terminer sa phrase que Léna était déjà près de lui.

— Je t'apprécie, mon garçon. Tu es brillant et drôle, mais je veux que tu comprennes bien, fit-elle en soulevant brutalement Cook par la gorge : Il existe quelques cas où on ne doit… non, *on ne peut* faire de compromis. Si mon fils fréquente les trois autres héritiers, que crois-tu qu'il risque de se passer dans l'avenir ? Que fera-t-il quand une nouvelle guerre déchirera nos clans et qu'il devra les combattre ? Je vais te le dire : il va hésiter... Et c'est cette hésitation qui lui coûtera la vie. Tu comprends ce que je dis ?

Cook ouvrait la bouche pour dire que oui, il comprenait, mais Léna pressait si fort sur sa gorge qu'il était incapable de dégoiser un mot. La tête lui tournait. L'obscurité l'envahissait. Il allait perdre conscience lorsqu'il se sentit soudain projeté dans les airs. Atterrissant lourdement contre le mur situé de l'autre côté de la pièce, il mit quelques secondes à rassembler ses esprits et réalisa en ouvrant les yeux que Léna avait disparu.

4

— Bregan, tu m'avais promis ! geignit Mika en lui lançant un regard implorant.

Bregan posa gentiment sa main sur le crâne de son frère.

— Je ne peux pas aller à la chasse maintenant, mais la prochaine fois que...

Les yeux du petit garçon étincelèrent de fureur.

— Tu dis toujours ça et tu ne le fais jamais ! Je te crois plus !

Bregan regarda son petit frère d'un air sévère.

— Mika, ça suffit.

Mika émit un feulement et ses yeux s'emplirent soudain d'ambre.

— C'est pas juste ! Tu l'avais dit, tu avais dit que…

— Mika, arrête ça ! Tu crois que c'est ce que je veux ? Tu crois que je préfère me rendre au cercle plutôt que d'aller m'amuser à la chasse avec toi ?

À peine Bregan eut-il prononcé ces mots qu'il le regretta aussitôt. Mika blêmit. Le cercle ? Le cercle était l'arène où les tigres se battaient. Il ne s'agissait pas de simples bagarres, non, mais de combats à mort.

— Quel… quelqu'un t'a encore défié ? demanda Mika.

Bregan acquiesça. Il avait dû répondre à quatre défis ces derniers temps. Tous provenant de mâles adultes persuadés qu'il ne méritait pas de devenir leur prochain souverain et faisant partie de l'entourage proche de son oncle Vryr.

— Ce n'est rien, ne t'en fais pas, tu me connais, je ne perds jamais, déclara Bregan d'un ton rassurant.

Les lèvres de Mika se mirent à trembler. Il avait beau être petit, il n'était pas stupide pour autant. Il savait que Bregan n'était pas invincible et qu'il suffisait qu'il commette une erreur... une seule erreur et...

— Qui ? Qui vas-tu affronter ?

— Ça n'a pas d'importance puisque de toute façon je vais gagner.

Mika, pas dupe, le fixa droit dans les yeux.

— Dis-moi qui c'est...

— Beratus, répondit Bregan avec réticence.

Mika déglutit. Beratus n'était pas n'importe quel tigre. C'était un guerrier. Un vrai. Et il était méchant comme une teigne.

— Je ne veux pas !

Bregan s'accroupit en face de lui.

— Mika, je vais le vaincre, je te le jure. Alors je ne veux pas que tu t'inquiètes, d'accord ?

Une lueur de peur et de doute avait envahi les yeux de Mika. Il balbutia d'une voix chevrotante :

— Tu... tu promets ?

— Je te le promets, fit Bregan en le serrant contre lui.

Ce défi était une gageure. Pas parce que Bregan redoutait l'issue du combat, mais parce que chaque fois qu'il tuait l'un de ses adversaires, il affaiblissait son clan et le privait d'un guerrier à un moment où les Taïgans devaient se montrer plus forts que jamais. La guerre était à leur porte et l'instinct de Bregan lui disait qu'il allait avoir besoin de ses hommes, de tous ses hommes, et que ce n'était vraiment pas le moment de bêtement s'entre-tuer.

— Allez, remonte dans ta chambre et repose-toi. Demain matin, je t'emmène chasser comme promis, d'accord ?

Mika secoua sa jolie tête brune.

— Mais je veux venir au cercle avec toi ! S'il te plaît…

— Non, Mika, répondit fermement Bregan.

— Mais j'ai 7 ans, maintenant je suis grand ! J'ai le droit d'y aller !

Les yeux émeraude de Bregan s'assombrirent. Pas question, il n'était pas question de laisser Mika assister à ce genre de spectacle à son âge. Oh bien entendu, il savait que son jeune frère aurait lui aussi dans les prochaines années bien des défis à affronter, qu'il devrait se battre pour sa vie et que, dans le clan des Taïgans, seuls les plus forts survivaient. Mais c'était trop tôt. Bien trop tôt.

— Je t'ai dit NON, Mika !

— Pourquoi ne pourrait-il pas t'accompagner ? entendit-il soudain derrière lui. Tu assistais à mes défis alors que tu n'avais que 4 ans.

Bregan se retourna vers sa mère.

— Et tu crois que ça me plaisait ?

— Là n'est pas la question, et tu le sais. Je voulais que tu saches, que tu comprennes pourquoi tu devais devenir le meilleur d'entre tous. La vie est cruelle, Bregan, et les Taïgans le sont tout autant. Si Mika veut survivre, il doit apprendre, répondit calmement Léna.

Bregan secoua la tête.

— Il est trop jeune ! Je ne veux pas lui infliger ça.

La tigresse poussa un soupir.

— Tu ne pourras pas toujours le protéger. Un jour, il devra…

Bregan se redressa et l'interrompit sèchement.

— Je sais ce qu'il devra faire. Il est inutile de me faire la leçon.

Léna avait raison et Bregan en était conscient. Un jour, il deviendrait un tueur comme eux tous. Oui. Mais pour l'instant, le

Taïgan voulait que Mika profite encore un peu des joies pures et innocentes de l'enfance.

— Mika n'assistera pas à mon combat, c'est clair ? gronda Bregan en laissant fuser tellement d'énergie que Léna recula comme si elle avait reçu une gifle en plein visage.

Ils s'affrontèrent un instant du regard et Léna baissa finalement les yeux.

— Très bien. Fais comme tu veux.

Bregan se retint de ricaner. Faire comme il le voulait ? Non, Bregan ne pouvait faire comme il le voulait, parce que ce qu'il voulait le plus au monde, c'était délivrer Maya, puis retourner avec elle, Nel et Wan sur les terres des hommes afin de découvrir ce que ces derniers mijotaient. Ce qu'il voulait, c'était que les Yokaïs cessent de s'entre-déchirer et qu'ils se préparent sérieusement à la guerre. Ce qu'il voulait, c'était faire cesser une bonne fois pour toutes ces combats stériles.

— T'es pas gentil, Bregan ! Non, t'es pas gentil ! hurla Mika avant de disparaitre en courant.

— Mika, attends ! s'écria Bregan en s'apprêtant à courir après lui, lorsque Léna le rattrapa par le bras.

— Laisse-le, tu n'as plus le temps.

Bregan hésita, puis inspirant profondément :

— Quand il se sera calmé, dis-lui que je tiendrai ma promesse, d'accord ?

Léna hocha doucement la tête.

— Je le lui dirai.

5

Submergé par l'émotion, Mika courait, le vent sifflant dans ses petites oreilles rondes, ses moustaches plaquées sur son joli pelage hérissé et ses yeux si écarquillés qu'on pouvait voir le cercle clair qui entourait ses pupilles. Pourquoi Bregan le traitait-il encore comme un bébé ? Pourquoi ne le laissait-il pas assister aux combats dans l'arène ? De quel droit décidait-il de ce qu'il pouvait faire ou non ? Il n'était pas son père. Il n'avait pas le pouvoir de lui donner des ordres. Ni celui de prendre les décisions à sa place. Non. Ça c'était sûr.

— Mika ! Mika, stop ! hurla soudain un Taïgan.

Mika se figea soudain dans sa course puis pivota vers le Taïgan qui venait de l'interpeller. Le tigre était sous forme humaine et son regard n'avait rien d'amical.

Sirus ? songea Mika en relevant la truffe.

Avec ses cheveux ternes, sa musculature peu développée et son visage émacié, son cousin Sirus ne ressemblait pas aux autres tigres. La plupart des adolescents ayant survécu aux défis présentaient une constitution exceptionnelle et dégageaient une impression de force que ne possédait pas le Taïgan. Mais plus on s'approchait de lui, plus on remarquait son incroyable énergie intérieure et plus on comprenait qu'il était, en réalité, tout aussi dangereux que les autres membres du clan.

— Qu'est-ce que tu fiches ici ? Tu as perdu la tête ? pesta Sirus en le soulevant par le col de sa fourrure.

Mika secoua ses pattes en se débattant, mais sans succès. Sirus le tenait bien trop fermement pour qu'il puisse s'échapper. Il se mit à gronder.

— Vas-y, gronde, gronde… espèce d'idiot ! Tu sais ce qu'il se serait passé si je t'avais laissé poursuivre ton chemin ? Tu sais ce qu'il y a là-bas ?

Mika cessa de gigoter et jeta un regard aux alentours. Il n'était jamais venu sur cette partie du territoire des Taïgans. Il n'avait aucune idée de l'endroit où il se trouvait.

— C'est le territoire des Serpaïs, imbécile ! poursuivit Sirus en lui assénant une violente claque sur le crâne.

Mika gémit puis lui allongea un si profond coup de griffe que Sirus le jeta brutalement sur le sol.

— Espèce de… oh et puis zut, fais ce que tu veux ! Après tout, je m'en moque !

Mika se releva sur ses pattes et se mit à feuler avant de rentrer ses poils sous sa peau, de faire grandir ses os, d'arrondir sa tête, bref, de redevenir un petit garçon aux cheveux châtains et aux joues rondes.

— Pourquoi est-ce que tu m'as fait mal ? T'es méchant ! lança Mika.

Il n'aimait pas Sirus. Lui et son père, son oncle Vryr, n'étaient pas gentils du tout.

— Tu m'as griffé. Nous sommes quittes, répondit son cousin d'un air dédaigneux. Ne me remercie pas de t'avoir sauvé la vie, surtout !

Mika s'apprêtait à rétorquer qu'il n'en avait pas l'intention, mais il changea d'avis en réalisant que son cousin avait raison. Il avait parcouru des kilomètres en courant sans but précis et avait traversé pratiquement le territoire du nord au sud sans même s'en rendre compte. Et si Sirus ne l'avait pas arrêté à temps, la situation aurait pu mal tourner.

— Je suis désolé. Je ne voulais pas… je ne le ferai plus…

Sirus lui jeta un regard noir.

— Quoi ? C'est ça tes excuses ?

Mika grimaça.

— Qu'est-ce que tu voudrais que je te dise ?

Sirus poussa un soupir.

— Toi et ton frère êtes exactement pareils ! Deux irresponsables !

— Mon frère n'est pas irresponsable !

— Ah non ? Alors où est-il ? Pourquoi n'est-il pas avec toi ?

— Tu sais très bien où il est : il est en train de se battre dans l'arène ! répondit Mika d'un ton mécontent.

Ouais, et j'espère bien que cette fois-ci, il se fera tuer, songea Sirus.

— Et puis de toute façon, je n'ai pas besoin de lui ! Je suis assez grand pour me promener tout seul ! ajouta Mika d'un ton virulent.

Sirus le regarda comme s'il n'était qu'un insecte.

— Ah oui ? Tu veux dire que ta mère...

Il s'interrompit et scruta les alentours. Léna n'était pas dans les parages.

— Ne me dis pas que tu t'es enfui ?

— Je... je ne me suis pas enfui, je me promène, répondit Mika en baissant la tête d'un air embarrassé.

— Tu veux dire que personne ne sait que tu es ici ?

Mika se mordit les lèvres.

— Oui, enfin non mais...

Sirus dévisagea Mika et réfléchit tout en jetant un regard furtif aux alentours. Tous les guerriers à l'exception de ceux qui avaient été désignés pour surveiller les frontières étaient en train d'assister au combat de Bregan et de Beratus. Autrement dit, Mika était seul. Véritablement seul. Il inspira profondément en le fixant longuement. Les Taïgans ne s'en prenaient pas aux enfants de cet âge. C'était interdit. Telles étaient leurs lois. Mais aussi les tigres étaient instinctivement très protecteurs avec les petits du clan. Sirus était comme les autres, il ne lui serait naturellement jamais venu à l'esprit de tuer ou de blesser l'un d'eux. Mais Mika n'était pas un enfant ordinaire : il était l'un des deux héritiers de leur clan et le fils cadet de Léna. Autrement dit, l'un des deux obstacles qui l'empêchaient d'accéder au trône.

— Elle le sait, oui ou non ?

Mika secoua la tête.

— Non, avoua-t-il.

Sirus plissa les yeux. Tuer un petit était mal, très mal, il le savait mais… Et puis, ça faisait partie du plan de son père, Vryr. Ce dernier avait incité ses partisans les plus forts à défier Bregan et, une fois que l'un d'entre eux parviendrait à ses fins, Vryr avait l'intention de se débarrasser de Mika. Alors qu'est-ce que ça changeait que Sirus agisse ici et maintenant plutôt qu'un peu plus tard puisque, de toute façon, l'enfant était condamné ?

— Je ne t'aime pas, Mika. Je pense que tu es aussi arrogant et imbuvable que ton frère. Je pense que ni lui ni toi n'avez votre place dans ce clan. Je pense qu'il est grand temps que vous disparaissiez, déclara Sirus.

Mika écarquilla les yeux sans comprendre.

— Qu'est-ce… qu'est-ce que ça veut dire ?

— Ça veut dire que tu vas mourir, ricana Sirus en poussant un feulement glaçant.

Mika ne s'y trompa pas en entendant l'épouvantable son qui fusait de la gorge de son cousin. Une petite voix dans son cerveau sonna l'alerte et il prit ses jambes à son cou. Sirus, excité par l'idée de la chasse, émit un nouveau feulement sans pour autant se transformer. Traquer le petit sous forme humaine rendrait la poursuite bien plus amusante.

— Inutile de courir, gamin ! Tu ne peux pas m'échapper ! rugit-il avant de se lancer aux trousses de Mika.

6

Bregan levait les yeux vers le public. Les Taïgans étaient assis dans les gradins et contemplaient silencieusement la fosse où allaient s'affronter les deux combattants. Léna, installée au beau milieu des spectateurs, regardait son fils. Sous sa forme animale, Bregan était sans conteste le tigre le plus impressionnant de tout le clan. Avec son pelage blanc rayé, ses énormes muscles, ses crocs et ses griffes d'au moins 20 centimètres, il diffusait littéralement la menace, et le feu doré qui brillait dans ses yeux aurait donné des frissons au diable en personne.

— Bregan est incroyable, il a beau n'avoir que 16 ans, c'est un vrai tueur, déclara soudain une tigresse brune assise près d'elle.

Léna ne répondit pas car la tigresse se trompait. Bregan n'était pas un tueur. Il ne prenait aucun plaisir à combattre dans l'arène et n'avait pas le goût du sang. Non. Bregan était un roi. Un roi noble, courageux, charismatique et fort. Un roi que ses opposants politiques ne cessaient pourtant obstinément de défier.

— Beratus n'a aucune chance, ajouta la tigresse en souriant à Léna comme pour la rassurer.

Cette dernière baissa les yeux et observa l'adversaire de Bregan. Face à lui, le tigre à la peau crème et aux rayures orange faisait pâle figure. Mais Léna savait, comme chacun des spectateurs présents, qu'il ne fallait pas s'y fier. Beratus était un guerrier. Un vrai. Il avait tué plus d'ennemis au combat que n'importe quel autre Taïgan de son âge. Et même s'il était moins puissant que Bregan, il était vicieux, tenace et rapide comme l'éclair.

— Ça y est, ça va commencer ! lança la tigresse en entendant le gong annonçant le début du combat.

Léna lui jeta un regard agacé et braqua son regard sur le public qui explosait en une salve d'applaudissements. Tous se trouvaient dans le même état d'excitation que sa voisine. Tous réclamaient leur tribu de chair et de sang.

Une seconde plus tard, le combat débutait. Beratus se mit à courir vers son adversaire. Bregan fit de même et les deux tigres se percutèrent violemment avant de s'asséner une flopée de coups. Du sang trempa la fourrure blanche de Bregan mais ce dernier continuait à frapper et frapper encore, ses griffes s'enfonçant dans les côtes, le dos et la gueule de Beratus. Abasourdie par la férocité de l'assaut, la foule restait silencieuse. Et au bout d'un moment, seuls les feulements et les grognements de douleur de Beratus se répercutèrent dans la fosse.

— Déjà fatigué ? feula Bregan au bout de quelques instants.

Beratus soupira intérieurement et le fixa sans ciller. Plonger dans le regard de Bregan était comme regarder un démon dans les yeux : on y trouvait l'annonce d'une mort certaine. Pourtant, quelque chose poussait le Taïgan à continuer de se battre. Se relevant, il rassembla ses forces et bondit de nouveau sur Bregan. Contre toute attente, ce dernier resta immobile puis, d'un mouvement vif, il s'allongea tout à coup sur le sol, griffes en avant, et ouvrit le ventre de Beratus de haut en bas au moment où il s'abattait sur lui. Le Taïgan gémit tandis qu'une douleur déchirante traversait sa chair et que ses entrailles jaillissaient hors de son ventre.

— Oh… comment a-t-il fait ça ? Je ne l'ai même pas vu bouger, souffla la tigresse en regardant Léna tandis que de légers cris de surprise s'échappaient des gradins.

Comment ? Léna elle-même n'en était pas certaine. Le mouvement de Bregan avait été si rapide que même le regard pourtant acéré de la Taïgan n'avait pas été capable de le suivre.

— Je n'en ai pas encore fini avec toi ! gronda Bregan en repoussant si violemment le corps meurtri de Beratus que ce dernier vola quelques mètres plus loin.

Un gargouillis s'échappa de la gorge de ce dernier.

— C'est tout ce que tu sais faire ? gronda Bregan.

Beratus était couvert de sang, ses entrailles pendaient mais il n'avait toujours pas l'intention d'abandonner. Il tituba, mais se releva et avança lentement vers son adversaire. Celui-ci, une fois à sa hauteur, feula et le repoussa d'un coup de pattes méprisant.

Beratus se releva encore en laissant échapper un gémissement et se traîna en rampant vers Bregan qui le repoussa de nouveau avec nonchalance, comme s'il chassait une mouche. Puis, à la surprise générale, Bregan reprit forme humaine, leva un regard plein de défi vers les spectateurs impressionnés, et déclara d'un ton menaçant :

— C'est ma proie. Le premier qui s'avisera de l'aider ou de l'achever devra en répondre devant moi.

Puis il quitta l'arène sans céder aux protestations et aux grondements de colère qui jaillissaient de la foule.

*

Cook avait assisté depuis les gradins au combat de Bregan. Sans surprise, ce dernier avait écrasé son adversaire comme un vulgaire insecte et remporté le combat, mais il n'avait pourtant aucune envie de se réjouir de la victoire de son ami. Pas après avoir vu la cruauté dont Bregan avait fait preuve. D'abord, parce qu'il pensait qu'un guerrier de la trempe de Beratus aurait mérité une mort digne. Une mort de combattant. Pas une mort humiliante comme celle que Bregan lui avait sciemment infligée, et ensuite et surtout, parce qu'il ne voulait en aucun cas voir Bregan changer et se transformer en monstre.

— Alors ? On joue au gros vilain chat ? lança Cook en rejoignant Bregan à la sortie de l'arène.

Ce dernier détourna aussitôt les yeux. Ce qu'il venait de faire était impardonnable. Il le savait. Beratus était déchiqueté. Brisé. Il ne pouvait presque plus respirer mais pourtant Bregan n'avait pas la moindre intention d'abréger son supplice. Non. Il voulait que chaque soupir, chaque gémissement, chaque cri de douleur du Taïgan restent à jamais gravés dans les mémoires. Il voulait rappeler à tous le véritable sens du mot « châtiment ».

— Cook… pas maintenant.

— Pourquoi ? Où est le problème ? Tu es le grand gagnant, si tu veux laisser un type souffrir et agoniser pendant des heures, c'est ton droit, tu fais ce que tu veux, non ?

— Cook…

Cook ignora l'avertissement contenu dans la voix de Bregan et poursuivit :

— Quoi ? Oh tu me connais, moi ça ne me gêne pas, je n'ai pas de cœur, mais j'avoue que ça m'étonne de toi.

— Qu'est-ce que tu veux ? Me faire la morale ?

— Non. Ce que je veux, c'est savoir pourquoi tu te montres aussi cruel.

Le prince des Taïgans allait probablement le payer de son âme mais il ne comptait pas céder aux supplications muettes contenues dans le regard de Cook. Non, il devait aller jusqu'au bout afin que tous comprennent qui il était vraiment et de quoi il était capable. Il devait leur montrer une bonne fois pour toutes pourquoi les défis devaient cesser. Soutenant le regard du Taïgan, Bregan haussa les sourcils.

— Quoi ? Ce n'est pas assez évident ?

Bien sûr que si ça l'était. En agissant de cette façon, Bregan venait de créer un nouveau climat de terreur dans le clan, et il était peu probable que quiconque se risque désormais à le défier.

— Tu penses que le message n'est pas passé ? ricana Bregan d'un ton sardonique.

Cook eut un sourire sans joie.

— Oh, il est passé cinq sur cinq, crois-moi.

— Alors où est le problème ?

Cook le dévisagea sans trop savoir quoi dire. Contrairement aux autres, il savait combien cela lui avait coûté. Il savait que les gémissements de Beratus hanteraient les rêves de Bregan durant des années. Il savait que son ami ne pourrait jamais se le pardonner.

— Tu sais que je ne suis pas quelqu'un qui laisse ses sentiments affecter son jugement…

Bregan lui lança un regard étonné.

— « Ses sentiments » ? Mon vieux, à part ta sœur et moi, tu n'aimes personne et rien ne te touche. Parfois, je me dis que tu es comme mort à l'intérieur.

Cook eut un sourire grinçant.

— Justement. Je sais que tu es un chef et que les chefs doivent faire ce qui est nécessaire, mais ne deviens pas un salaud sans cœur comme moi. Tu me le promets ?

Bregan lui retourna un sourire à peine moins amer que le sien.

— Cook, tu sais que je ne pourrai pas tenir une telle promesse.

Une profonde tristesse traversa le regard de Cook. Il comprenait que ce que disait Bregan était juste. Que nul ne pouvait survivre dans ce clan sans corrompre son cœur et son âme. Que seule la volonté et la force comptaient et qu'elles primaient sur toute autre considération, mais il avait espéré que Bregan pourrait échapper à cette spirale infernale. C'était un espoir fou sans doute, mais c'était l'une des raisons pour lesquelles il était resté depuis toutes ces années à ses côtés. Il voulait le protéger de toutes les bassesses et les ignominies de ce monde, et était capable de remuer ciel et terre pour ne jamais voir la joie et la lumière s'éteindre du regard clair de Bregan.

— Essaie. Pour moi. S'il te plaît.

Bregan faillit détourner les yeux pour ne pas voir la détresse que Cook laissait transparaitre dans ces simples mots.

— Qu'est-ce qu'il t'arrive ? Pourquoi est-ce que tu…

Cook s'approcha si près de Bregan que le Taïgan pouvait pratiquement sentir son souffle sur sa peau.

— On peut toujours soigner un coup de griffes ou un coup de crocs, mais on ne peut jamais guérir une âme brisée, crois-moi, j'en sais quelque chose…

Puis il lui tourna le dos et s'éloigna sans rien ajouter.

7

Wan, le prince des Serpaïs, regardait d'un air perplexe l'homme qui était en train de poursuivre l'enfant de l'autre côté de la frontière. Il ne s'agissait pas d'un jeu. Non. De ça, il était certain. Il suffisait d'observer la posture de la proie et de son poursuivant pour comprendre qu'il s'agissait d'une vraie chasse. Ce qu'il ne comprenait pas, par contre, c'était pourquoi les deux Taïgans ne s'étaient pas encore transformés.

— Décidément, les chats sont encore plus bizarres que je ne l'imaginais, murmura-t-il aux deux serpents géants qui l'accompagnaient.

L'un des deux reptiles lui répondit par un sifflement.

— Quoi encore ? Mais vous venez à peine de déjeuner ! s'indigna Wan.

Le deuxième serpent géant se mit à siffler à son tour.

— Le goûter ? Non, ce n'est pas l'heure du goûter. Oh et puis… oh oh, attendez voir, s'interrompit Wan en voyant le petit Taïgan se diriger vers le rocher pourpre qui servait de démarcation entre le territoire des Taïgans et celui des Serpaïs.

Le tigre adulte, toujours à ses trousses, était sur le point de le rattraper.

— Hum, planquez-vous… je sens que votre prochain en-cas approche à grands pas, ricana-t-il tandis que les deux serpents géants partaient se dissimuler un peu plus loin dans les hautes herbes.

*

Mika n'en pouvait plus. Il était à bout de souffle. Son cœur tambourinait dans sa poitrine. Les muscles de ses jambes lui faisaient mal. Il buttait maintenant maladroitement sur le moindre caillou mais poursuivait sa course comme si sa vie en dépendait. Et elle en dépendait. Son cousin était sérieux. Il l'avait senti. Même sous forme humaine, un tigre était capable de détecter les intentions hostiles. Il suffisait pour ça d'étudier son regard et la position de son corps. Le corps disait tout mieux que n'importe quelle parole. C'était Bregan qui le lui avait appris. Résistant à l'envie de tourner la tête pour voir où se trouvait Sirus, Mika continua à courir droit devant lui sans remarquer le monstre caché dans l'ombre qui le guettait au bout du chemin.

— Relève-toi.

Le petit Taïgan ouvrit les yeux et se releva dans un sursaut. En une fraction de seconde, l'obscurité devint lumière puis forme, puis couleur, et le monde retrouva peu à peu ses contours. Pas de doute, il avait percuté quelque chose ou quelque chose l'avait percuté. Quoi ? Ça, il l'ignorait. Tout ce qu'il savait, c'était qu'il s'était retrouvé soudain les fesses par terre et qu'il était un peu sonné.

— Je t'ai dit de te relever, répéta la voix d'un ton autoritaire.

Mika sentit une main le soulever fermement du sol et il se mit à gronder.

— Eh, doucement, tu me fais mal !

— Ne fais pas le bébé. J'ai horreur des bébés.

Mika leva la tête. Le Yokaï qui venait sèchement de le sermonner était jeune. 16 ou 17 ans, tout au plus. Fin mais athlétique, une peau couleur miel, des yeux mauves, il était beau, si incroyablement beau qu'on ne pouvait pratiquement pas détacher les yeux de son visage. Le petit Taïgan le connaissait. Il connaissait ce regard. Il l'avait souvent croisé à l'école, et puis une fois aussi le jour de l'attaque, dans la forêt.

— Wan ? Tu es Wan, pas vrai ? C'est toi qui m'as fait tomber ?

Wan resta silencieux et, reconnaissant soudain l'enfant, le fixa longuement d'un air ennuyé. Qu'est-ce que le petit frère de Bregan faisait là ? Pourquoi était-il seul et sans surveillance ? Qui était le tigre qui le poursuivait ?

— Lâche cet enfant ! Il est à moi ! hurla soudain Sirus en accourant vers eux.

Wan releva doucement la tête et posa son magnifique regard violet sur le tigre.

— Erreur, Taïgan.

Sirus blêmit en croisant le regard de l'adolescent qui le toisait avec arrogance. Il ne l'avait jamais rencontré en personne mais il ne pouvait y avoir erreur. Un seul Yokaï possédait des yeux couleur améthyste, un seul : le terrifiant et redoutable prince des Serpaïs.

— Tout ce qui se trouve sur ces terres est à moi, poursuivit Wan d'une voix glaçante.

Balayant les alentours du regard, Sirus sentit ses jambes se dérober sous lui. Imbécile, songea-t-il, tu étais tellement pris par l'excitation de la chasse que tu n'as même pas réalisé que tu franchissais la frontière.

— Il s'agit d'une erreur, une simple erreur, tenta-t-il de s'excuser. Le petit s'est perdu et… mais on va s'en aller… c'est…

— Perdu ? Vraiment ? releva Wan.

Sirus projeta, l'espace d'un instant, de se transformer mais eut vite fait d'y renoncer. Il n'était pas craintif, il savait se battre et n'hésitait jamais à tuer l'un de ses adversaires lorsque l'occasion se présentait, mais l'adolescent qui se trouvait devant lui n'était pas un ennemi ordinaire. C'était le plus puissant des serpents. Un sadique. Un monstre au cœur froid avec de la glace dans les veines. Une erreur de la nature dotée d'une vitesse pridigieuse et d'un venin mortel.

— Menteur ! J'étais pas perdu, je me suis enfui parce que t'essayais de me tuer ! protesta Mika.

— Tais-toi ! hurla Sirus en observant discrètement la réaction du serpent.

Mais le visage de ce dernier restait aussi impassible que celui d'une statue.

— Non, je me tairai pas ! Je dis la vérité !

Wan leva les yeux au ciel.

— Ah les gosses... c'est pénible, hein ? Non, franchement, je te comprends. Ils sont tellement bruyants et fatigants. Moi aussi, si je me laissais aller à mes pulsions, je me débarrasserais de tous les mioches de mon clan. Mais bon, on ne fait pas toujours ce qu'on veut, hein ?

— Je m'en fiche ! S'il recommence, je vais le dire à mon frère ! s'écria de nouveau Mika.

— Ton frère est sûrement mort à l'heure qu'il est. Et s'il ne l'est pas, il le sera bientôt ! lâcha soudain Sirus avec exaspération.

— Menteur ! Mon frère n'est pas mort ! Il va gagner son combat dans l'arène parce que c'est le plus fort ! gronda tout à coup Mika en tapant du pied.

Wan interrogea froidement Sirus du regard.

— Son combat ?

— Bregan doit faire face à une série de défis. S'il ne se fait pas tuer aujourd'hui, il le sera à un moment ou à un autre. Ce n'est qu'une question de temps, expliqua Sirus d'un ton suffisant.

Wan retint un ricanement. Il connaissait beaucoup trop Bregan pour imaginer que le tigre puisse perdre un combat dans l'arène et savait qu'il faudrait bien plus d'une dizaine, voire d'une centaine de défis pour en venir à bout.

— Et ensuite, ce sera moi le roi, se rengorgea Sirus avec arrogance.

— Je ne connais pas grand-chose à vos coutumes, Taïgan, mais il me semble que si Bregan meurt, c'est Mika qui devrait normalement lui succéder, non ? insinua fielleusement Wan.

Sirus réfléchit. Il savait que même si Bregan et le prince des Serpaïs se détestaient, ils avaient combattu ensemble les humains de la citadelle d'Havengard. Ce qui signifiait que le prince des serpents était suffisamment large d'esprit pour négocier avec ses ennemis. Il ne restait donc à Sirus qu'à lui faire une proposition intéressante. Une proposition qui lui permettrait de rentrer sain et sauf chez lui et de terminer ce qu'il avait commencé avec le petit.

— Écoute, je suis en tort, je le reconnais. Je n'aurais jamais dû franchir la frontière, mais je suis prêt à faire amende honorable et à t'offrir tout ce que tu désires…

Wan fronça les sourcils.

— Tout ce que je désire ?

— Une fois Bregan et ce sale gamin morts, je vais devenir roi. Je connais ta réputation, Wan, je sais que tu es quelqu'un de sensé et d'ouvert à la négociation, alors que dirais-tu de conclure un marché ? Tu me laisses partir avec le petit et, une fois roi, je te promets de céder les plaines de Kiloth au clan des Serpaïs, hein ? Qu'en penses-tu ?

« J'en dis que si tu parviens à atteindre ton but, le prochain souverain des Taïgans sera sans nul doute un imbécile », songea Wan en fronçant les sourcils.

En réalité, ce n'était pas pour lui déplaire. Le prince des serpents préférait nettement avoir pour ennemi un roi lâche et stupide comme Sirus plutôt qu'un type coriace comme Bregan, mais, malheureusement pour le tigre, Wan ne croyait pas une seconde à la réussite de son plan. Tuer Bregan ? Non, franchement, si ça avait été aussi facile, Wan se serait lui-même chargé de faire disparaitre ce satané tigre depuis longtemps...

— Alors, marché conclu ? ajouta Sirus en dévisageant Wan.

Le Serpaï resta un moment à le jauger en laissant un silence inconfortable s'installer puis, finalement, secoua la tête.

— Navré, mais ça ne m'intéresse pas.

— Quoi ? Mais...

Sirus n'eut pas le temps de terminer sa phrase que deux gigantesques serpents surgissaient soudain des hautes herbes.

— Je te présente mes potes, Miu et Dji, mes gardes-frontières, fit Wan avec une lueur amusée dans le regard.

Flanquant leur prince de chaque côté, les gigantesques reptiles fixèrent Sirus de leurs yeux obliques. Ce dernier frémit aussitôt d'horreur.

— Non, attends… on peut parler, non ? Je te donnerai ce que tu veux ! Demande ! Demande-moi n'importe quoi, tu l'auras !!!

Wan lui lança un regard chargé de mépris. Il comprenait l'ambition du Taïgan. Lui non plus n'avait reculé devant aucun massacre ni aucune perfidie pour parvenir à ses fins. Et il avait adoré ça. Il avait adoré tuer. Il avait adoré voir la dernière lueur d'espoir disparaitre des yeux de ses ennemis au moment fatidique. Il avait aimé se nourrir de leurs souffrances. De leur frayeur. Mais contrairement à Sirus, il n'avait jamais, jamais, fait preuve d'une telle lâcheté. Non. Lui aurait affronté Bregan directement. Comme un homme. Ou plutôt comme un Yokaï digne de ce nom.

— J'ai déjà ce que je veux, répondit Wan avant de soulever soudain Mika dans ses bras.

Ce dernier plongea ses yeux dans le regard mauve du serpent.

— Wan, tu vas me faire du mal ?

Wan prit une ou deux secondes de réflexion afin de peser le pour et le contre, puis il arrêta sa décision. Non, il n'allait pas tuer Mika. D'abord parce qu'il se connaissait assez pour savoir que tuer un enfant sans défense, qu'il soit Taïgan ou non, ne lui procurait aucune satisfaction. Et ensuite parce qu'il savait que Nel, Bregan et Maya étaient, à des degrés différents, très attachés à Mika et qu'aucun d'eux ne lui pardonnerait ou n'accepterait de conclure une nouvelle alliance avec lui s'il faisait quoi que ce soit au petit. Or le Serpaï était bien trop pragmatique pour se priver de la moindre option. En tout cas pas à cause d'une chose aussi insignifiante que le meurtre d'un bébé tigre.

— Non. Je ne vais pas te faire de mal.

Mika fronça les sourcils puis, comprenant que le Serpaï disait la vérité, il lui sourit et se blottit contre lui.

— Je savais qu'il ne fallait pas croire les autres ! Je savais, moi, que t'étais gentil !

Gentil ? Les deux serpents géants qui écoutaient la conversation se mirent soudain à balancer leurs têtes de droite à gauche tout en sifflant d'amusement. Gentil ? Wan ? Oh ça c'était vraiment trop drôle !!!

Wan les fusilla aussitôt du regard.

— Oh ça va, vous deux ! Continuez, et je vous promets que vous allez le regretter ! siffla-t-il excédé.

Puis il baissa la tête vers Mika dont l'estomac grondait.

— Désolé, s'excusa l'enfant en grimaçant.

Le petit avait fourni un gros effort physique. En dépit de sa petite taille, il avait échappé au Taïgan adulte qui le poursuivait. Il n'y avait donc rien d'étonnant à ce qu'il ait besoin de reprendre des forces. Et Wan avait beau éprouver un terrible dégoût en sentant les bras du petit étroitement serrés autour de son cou, il le comprenait, oui, il comprenait qu'il allait devoir remédier aux besoins de ce petit être répugnant.

— Tu as faim ?

— Oh oui alors !

— Alors on y va, déclara Wan en s'éloignant doucement. Un lièvre, ça te dirait ?

— Oh génial !

Puis il ajouta, en voyant que les deux serpents géants restaient en arrière :

— Mais et tes copains, ils ne viennent pas avec nous ?

Wan regarda Mika d'un air moqueur.

— Non, eux, ils vont manger sur place, répondit-il en accélérant le pas, tandis que les hurlements de terreur de Sirus résonnaient dans leur dos.

8

Bregan était rentré de l'arène l'esprit préoccupé et le cœur lourd. Il ne regrettait pas d'avoir agi comme il l'avait fait dans l'arène parce qu'il était certain qu'il n'existait pas d'autre solution. Mais il avait beau en être persuadé, ça ne l'empêchait pas de se sentir coupable malgré tout. Beratus était l'un des siens. L'un de ses sujets. L'un de ses farouches guerriers. L'un de ceux sur qui il aurait dû veiller. Et au lieu de ça… au lieu de ça il avait été contraint de le traiter comme un véritable ennemi. Non. Rectification : encore bien plus durement qu'il ne l'aurait fait avec un véritable ennemi.

L'estomac noué et les épaules crispées, il examina son corps. Il y avait des égratignures par-ci par-là, des griffures et des bleus aussi, mais que l'extraordinaire pouvoir de guérison des Yokaïs pouvait soigner en quelques heures. Entrant dans la douche, il laissa couler l'eau une bonne dizaine de minutes. Après qu'elle eut fait disparaître les muqueuses et les poils mêlés au sang séché qui étaient restés collés sur sa peau et la plupart des autres traces du combat, il se sentit un peu mieux et décida qu'il était temps de respecter la promesse qu'il avait faite à Mika.

— Maman, où est Mika ? demanda Bregan en trouvant sa chambre vide.

Léna grimpa aussitôt les escaliers et le rejoignit dans le couloir.

— Aucune idée. Je ne l'ai pas revu depuis votre dispute au sujet de l'arène.

Bregan lui jeta un regard incrédule.

— Quoi ? Tu ne l'as pas vu depuis qu'il s'est enfui ?

Elle haussa nonchalamment les épaules.

— Bah, inutile de t'inquiéter, tu connais ton frère : il s'est sûrement caché dans un coin pour pleurer, il ne devrait pas tarder à revenir.

— Maman, tu aurais dû te lancer à sa recherche quand il est parti !

— Quoi ? Et manquer ton combat parce que Mika a décidé de piquer une crise ? Ah ça pas question, rétorqua-t-elle sèchement.

Bregan lui jeta un regard de reproche.

— Tu es sa mère.

Léna soutint son regard.

— Je suis aussi la tienne. Et ma place était aujourd'hui d'être au cirque avec toi.

Bregan poussa un soupir intérieur en maudissant Léna et son sens des priorités, puis descendit quatre à quatre les escaliers.

— Où vas-tu ? cria Léna dans son dos.

— Je vais chercher Mika, et quand je l'aurai trouvé je vais tellement lui botter les fesses qu'il ne pourra probablement pas s'asseoir avant un bout de temps ! hurla-t-il en retour avant de se précipiter hors de la maison.

*

Le soleil descendait derrière la montagne en barbouillant au passage de jaune, de rouge et de brun le territoire des Rapaïs. Assise sur un rocher, Nel, soucieuse, regardait les aigles voler dans la lumière du crépuscule. Les nouvelles que venaient de lui livrer les corbeaux qui espionnaient les humains étaient préoccupantes. Pas seulement parce que les bipèdes risquaient d'être bien plus nombreux et plus lourdement armés que prévu, mais parce qu'ils agissaient de façon étrange. Pourquoi n'attaquaient-ils pas ? Qu'attendaient-ils ? Qui était le petit groupe d'hommes qui voyageaient en ce moment même vers les terres mortes ? Et surtout, que cherchaient-ils ?

— Croa ! Croa !

Nel fixa l'oiseau qui venait d'atterrir à ses pieds d'un air incrédule.

— Quoi ?

— Croa ! Croa ! Croa !

Elle écarquilla les yeux.

— Wan et Mika ? Tu es sûr de ne pas te tromper ?

— Croa ! Croa ! Croa ! Croa !

— Alors ça, je n'arrive pas à y croire, fit-elle en serrant les dents.

— Cro-A ! Cro-A !

— Non, non, je n'ai pas le temps d'avertir Bregan, je vais y aller moi-même, répondit-elle au volatile avant de sauter à pieds joints du rocher.

— Cro… cro… croa !

— Oui, je sais ce que ma mère me fera si elle le découvre, mais je ne peux pas abandonner Mika aux mains de ce monstre.

Nel était d'un caractère sauvage. Elle ne se liait avec personne, fuyait quiconque tentait de s'approcher d'elle et restait toujours sur la réserve. Certains prétendaient que son comportement solitaire était dû à l'éducation de sa mère, la reine Aeyon. Mais, au fond d'elle, Nel savait que ce n'était pas l'entière vérité et qu'une partie d'elle, une toute partie d'elle, refusait de nouer des liens par peur de blesser ou d'être blessée. Elle n'était pas comme tout le monde. Elle le savait. Elle était dangereuse. Plus dangereuse même qu'Aeyon par certains côtés parce qu'elle ne maîtrisait pas toujours ses instincts et que, quand ça arrivait, elle oubliait complètement sa part « humaine ». Alors elle se tenait éloignée des autres, pour que jamais l'un d'entre eux ne puisse la traiter de monstre.

Il n'y avait qu'avec Mika que c'était différent. Oui, envers Mika elle n'avait aucune défiance. Aucune peur. Pas seulement parce que c'était un enfant mais parce que quand elle se trouvait avec lui, ses pulsions bestiales disparaissaient comme par magie. Elle se sentait apaisée. Libérée. Elle pouvait lui parler. Il ne comprenait pas toujours ce qu'elle lui confiait mais il ne la jugeait jamais. Il l'acceptait. Et elle se moquait comme d'une guigne qu'il soit un Taïgan. Tout ce qui comptait, c'était que Mika parvenait à combler un peu de cette solitude qui l'étouffait parfois au point de ne plus pouvoir respirer.

— Croa ! Croa ! Croa ! Cro-aa !

— Ne pas m'inquiéter ? On voit que tu ne sais pas ce dont ce Serpaï est capable. Wan est le plus horrible, le plus méchant… le plus… oh et puis il n'y a pas de mot ! lâcha-t-elle d'un ton rageur.

L'oiseau, poussant une flopée de croassements aigus, vola en travers de son chemin pour l'empêcher d'avancer, mais elle le repoussa de la main avant de répliquer :

— Je m'en fiche d'être punie ! S'il a touché à un seul cheveu de Mika, je le tue ! Je te jure que je le tue !!! répondit-elle les poings serrés avant de se transformer.

*

Bregan filait comme une flèche à travers les hautes herbes recouvrant les plaines du territoire Taïgan. La piste de Mika datait de plusieurs heures, mais comme il n'avait pas plu, son odeur imprégnait encore le sol et la végétation. Humant l'air, Bregan secoua la tête. Que son frère soit parvenu à traverser le territoire du nord au sud sans que personne ne le remarque, ne l'arrête et ne le ramène chez lui était un mystère. Aucun enfant de cet âge n'avait le droit de se promener seul. C'était la règle. Une règle que Mika s'empressait aussi souvent que possible d'enfreindre lorsque l'envie lui en prenait. Une fois ou deux, Bregan l'avait suivi, par curiosité, et il avait découvert que son petit frère rencontrait Nel, la princesse des Rapaïs, en secret, à la frontière du territoire des aigles. Ils ne faisaient rien de mal. Ils parlaient, riaient et s'amusaient comme deux enfants heureux d'être ensemble. Bregan savait qu'il aurait dû mettre un terme à cette histoire mais il n'en avait aucune envie. D'abord parce qu'il ne voulait pas briser le cœur de son petit frère et ensuite parce qu'il ne parvenait pas à considérer la petite aigle comme une ennemie. En tout cas pas depuis qu'elle avait tenté de sauver Mika lors de l'attaque de l'école et combattu les humains à ses côtés.

Reniflant un bosquet, il ouvrit la gueule et poussa un feulement. Il n'était plus très loin de la frontière qui séparait les terres des Taïgans de celles des Serpaïs. Se pouvait-il que... ? Non, Mika, dis-moi que tu n'as pas fait ça, songea Bregan en se mettant soudain à courir, le cœur battant à tout rompre, en direction du territoire des serpents.

*

— Pourquoi ne veux-tu pas rentrer chez toi ? demanda Wan en ajoutant quelques branches sur le feu.

Mika baissa les yeux, gêné.

— Si je rentre, je vais me faire gronder.

— Mais si tu ne rentres pas, mes copains Dji et Miu vont finir par te manger.

Mika leva les yeux vers lui pour savoir s'il plaisantait, puis, comprenant que ce n'était pas le cas, il grimaça.

— Bon alors si c'est ça, je crois que je préfère encore rentrer.

— Sage décision, répondit Wan, amusé.

Wan en avait été le premier surpris, mais l'enfant s'était finalement révélé moins pénible et agaçant qu'il ne l'avait redouté. Il possédait même un certain charme.

— Tu crois que je pourrai revenir te voir ?

Wan secoua la tête.

— Je crois que ce ne serait pas prudent.

— Dommage, je te trouve marrant et pis tu sais bien faire cuire le lapin. C'est ta maman qui t'a appris ?

— Je n'ai pas de maman.

Mika lui jeta un regard étonné.

— Ah bon ? Ça doit être bizarre ...

Bizarre ? En réalité, Wan n'y avait jamais songé. Les Serpaïs n'avaient ni père ni mère. Seulement des « éleveuses », des nourrices qui s'occupaient d'eux durant les premiers instants de leur vie.

— Je peux me joindre à vous ?

Wan, surpris, se releva d'un bond en reconnaissant Nel. Où et comment était-elle parvenue jusqu'ici sans se faire repérer par leurs scruteurs du ciel ? Il n'en avait aucune idée. Tout ce qu'il savait, c'était que le chef de sa garde de nuit venait de signer son arrêt de mort.

— Nel ! Nel ! Tu es là ? Oh c'est génial ! s'écria Mika en se jetant aussitôt dans ses bras.

— Qu'est-ce que tu viens faire sur mes terres, aigle ? Tu as des idées suicidaires ? siffla le Serpaï en la dévisageant d'un air glacial.

Avec sa petite taille, ses cheveux longs et son visage angélique, la Rapaï ressemblait à une adorable petite poupée. Mais Wan n'était pas dupe. Il l'avait vue à l'œuvre lors des combats qui les avaient opposés aux humains de la citadelle d'Havengard : Nel était une tueuse à sang-froid de la pire espèce. Efficace, rapide, brillante, impitoyable, elle était, en dépit de ses 12 ans, l'un des Yokaïs les plus puissants qu'il ait jamais rencontrés.

— Je pourrais te retourner la question, rétorqua Nel en serrant Mika dans ses bras.

En la voyant tenir tendrement l'enfant contre elle, humains comme Yokaïs auraient probablement baissé leur garde, mais Wan était bien trop malin pour ne pas remarquer la lueur de menace qui dansait au fond de ses yeux. L'aigle était prête au combat. Mieux que ça : elle l'espérait.

— Pourquoi t'es venue ? demanda Mika sans prêter la moindre attention à la tension explosive qui faisait vibrer l'air autour de lui.

Nel lui sourit sans toutefois quitter Wan des yeux.

— Et toi alors ? Qu'est-ce que tu fais ici ? Tu devrais être tranquillement couché dans ton lit à l'heure qu'il est !

— Ah ça ! C'est à cause de mon cousin ! Il voulait me tuer, mais heureusement Wan est arrivé pour me sauver, pas vrai, Wan ? répondit Mika en se tournant vers lui.

Nel haussa les sourcils, surprise.

— Ton cousin ?

Mika hocha la tête.

— Oui, Sirus. Il est très méchant !

Nel questionna le Serpaï du regard.

— Où est-il ?

— Où veux-tu qu'il soit ? répondit Wan comme si elle venait de lui poser la question la plus stupide du monde.

Pour la première fois depuis son arrivée, les épaules de Nel se détendirent et elle laissa échapper un vrai sourire.

— Tu as bien fait.

— Je ne vis que pour obtenir ton approbation, ricana Wan d'un ton sarcastique.

— Et moi qui pensais que tu ne m'aimais pas, rétorqua Nel sur le même ton.

Wan ne put s'empêcher de sourire.

— Tu as raison : je ne t'aime pas.

Nel éclata d'un rire moqueur.

— Tu cherches à me briser le cœur ?

— J'ignorais que tu en possédais un, répondit Wan, l'esprit railleur.

La jeune fille leva les yeux au ciel, puis reporta son attention sur Mika.

— Pourquoi ne l'as-tu pas renvoyé chez lui après l'incident avec le Taïgan ?

Wan haussa les sourcils.

— Tu me prends pour qui ? Son baby-sitter ?

— Je suis sérieuse, Serpaï. Son clan doit être en train de chercher Mika à l'heure qu'il est.

— Et alors ? En quoi est-ce que ça me concerne ?

— Tu aurais dû le raccompagner.

Wan écarquilla les yeux.

— Attends, que je récapitule : son cousin et lui entrent sur mes terres, je tue le méchant Taïgan, je donne à manger au petit chat, et tu trouves encore le moyen de râler ? s'exclama-t-il, offusqué.

Nel le regarda pensivement. À bien y réfléchir, le serpent n'avait pas tort. Il avait fait de nombreux efforts, bien plus qu'elle ne le croyait capable d'en fournir. Plus surprenant encore : il s'était bien conduit envers Mika. Ce qui relevait, quand on le connaissait, pratiquement du miracle.

— D'accord, j'en conviens. Tu as…

Elle n'eut pas le temps de finir sa phrase que le corps de Wan disparaissait sous une énorme boule de poils rugissante et poilue.

— Bregan, non ! hurla Mika.

Mais Bregan, aveuglé par la fureur, n'écoutait pas. Ses crocs étaient posés sur le cou du Serpaï et il s'apprêtait à lui déchirer la gorge.

— Tu me connais : j'adorerais que tu le tues, mais je crois malheureusement que ce ne serait vraiment pas une bonne idée, déclara Nel en abattant violemment une branche sur son museau.

Tournant sa gigantesque gueule vers elle, Bregan poussa un feulement de rage.

— Tu veux bien arrêter de jouer les imbéciles ? demanda Nel d'un ton calme.

Le tigre en Bregan avait très envie de dévorer la petite Rapaï qui osait le braver, mais le regard larmoyant de Mika qui venait d'apparaitre devant lui le stoppa avant qu'il puisse faire le moindre mouvement.

— Lâche-le ! Lâche Wan ! hurla soudain Mika d'une voix tremblante.

Ce regard, ou plutôt les larmes qu'il contenait, fut comme un électrochoc pour Bregan qui reprit immédiatement ses esprits. Pourquoi Mika pleurait-il ? Pourquoi lui hurlait-il de lâcher le Serpaï ? Qu'avait-il fait de mal ?

— Qu'est-ce que t'attends ? Pousse-toi de là avant que je ne te morde ! glapit Wan qui avait été tellement surpris par l'attaque éclair de Bregan qu'il n'avait même pas eu le temps de se transformer.

Bregan baissa la gueule vers lui, hésita un instant, puis ôta ses pattes des bras du Serpaï. Wan se releva aussitôt, les yeux étincelants de fureur.

— Bon sang, mais c'est quoi ton problème !!!?

Interloqué par l'attitude de Mika, Nel et Wan, Bregan reprit rapidement forme humaine et demanda d'une voix rauque :

— Mon problème ? N'inverse pas les rôles, tu veux ? Que faisais-tu avec mon frère ?

— Il n'a rien fait ! Il m'a sauvé ! intervint tout à coup Mika

Bregan, surpris, se tourna vers Mika :

— Quoi ?

— Sirus voulait me tuer, et il m'a sauvé !

— Ouais, je sais, on a du mal à y croire, hein ? soupira Nel en posant sa main sur l'épaule de Bregan.

— C'est vrai ? demanda Bregan en dévisageant Mika avec attention.

— Oui, c'est vrai.

Bregan était mal à l'aise. Mika disait la vérité, ça ne faisait pas de doute. Un peu décontenancé par la tournure étrange qu'avait prise la situation, il se tourna vers Wan.

— Écoute, Wan, si c'est vrai... je veux dire, si tu as vraiment aidé mon petit frère, je tiens à te présenter mes excuses. Je n'ai pas... je pensais...

— Je sais parfaitement ce que tu pensais, Taïgan, répondit Wan d'un ton glacial.

Le Serpaï était mécontent de lui. Il s'était laissé surprendre d'abord par Nel, puis par le tigre. En d'autres circonstances, ça aurait pu lui coûter la vie.

Bregan se frotta nerveusement l'arrête du nez.

— J'ai eu tort. Mais mets-toi un peu à ma place...

— Non merci, je n'y tiens pas, répondit le serpent.

Bregan leva les yeux au ciel.

— D'accord, alors disons que je te présente mes plus plates excuses. J'ai commis une erreur et je te suis reconnaissant d'avoir sauvé mon petit frère. Je t'en devrai une. Ça te va comme ça ?

Wan grimaça.

— Hum…

— Arrête de faire ta mauvaise tête. J'ai commis la même erreur : en venant ici, moi aussi j'ai cru que tu avais fait du mal à Mika, fit Nel.

— Et bien sûr, toi aussi tu voulais me tuer, déclara Wan.

Nel hocha la tête.

— Exact.

— Et après c'est moi qu'on traite de malade, ricana le Serpaï.

Bregan soupira, puis, s'adressant à Nel :

— Tu as pris tous ces risques… je veux dire, tu es vraiment venue jusqu'ici pour sauver mon petit frère ?

— Oh non, je suis venue parce que Wan me manquait, ricana-t-elle.

Bregan se mit à rire malgré lui, puis, après avoir repris son sérieux, il déclara d'un ton sincère :

— Merci.

Elle lui sourit.

— De rien. Je dois y aller maintenant.

— Si tu as besoin de quoi que ce soit… je veux dire… c'est la deuxième fois que tu risques ta vie pour sauver Mika, alors si je peux te rendre service, n'hésite pas. Je t'aiderai si je le peux.

Nel connaissait suffisamment Bregan pour savoir qu'il ne promettait rien à la légère. Le prince des Taïgans honorait toujours sa parole. C'était une question de principe. Consciente de la valeur de ce qu'il venait de lui proposer, elle le dévisagea d'un air pensif.

— Quoi ? demanda Bregan, intrigué.

Elle hésita.

— Je ne suis pas sûre…

— Je te l'ai dit, Nel, si tu as un problème…

— Un problème ? Évidemment qu'elle a un problème : c'est une tueuse psychotique atteinte d'un répugnant et infondé complexe de supériorité ! s'esclaffa soudain Wan.

Bregan ignora le rire du Serpaï, puis poursuivit sans la quitter des yeux :

— Alors ?

Nel le jaugea durant quelques secondes. Bregan était sincère et semblait véritablement désireux de l'aider. Est-ce que ça signifiait qu'ils étaient amis ? Qu'elle pouvait lui faire confiance ? Non. Certainement pas. Mais une chose était sûre : il ne se moquerait pas d'elle si elle lui faisait part de ce que lui avaient rapporté les corbeaux ou de ses inquiétudes concernant le groupe d'hommes qui venait de partir en direction des terres mortes. Non. Lui comprendrait parce qu'il avait vu de quoi les humains étaient capables. Quant à Wan, eh bien elle avait beau mourir d'envie de transformer ce maudit Serpaï en sac à main, en chaussures et peut-être même… en ceinture, elle devait reconnaître qu'il avait de l'instinct et qu'il savait réagir froidement et efficacement face au danger.

Ce fut cette dernière considération qui la convainquit de parler.

— Oui. Il y a quelque chose…

9

— Tu n'as aucune idée de ce qui a pu pousser ces humains à se rendre sur les terres mortes ? demanda Bregan une fois que Nel eut terminé son récit.

Nel secoua la tête.

— Non.

Les corbeaux ne comprenaient malheureusement pas tout. Les nuances ou les sous-entendus leur échappaient complètement. Donc si les hommes ne s'exprimaient pas de façon simple, les volatiles étaient incapables d'interpréter une conversation.

— Mais tu penses que ça pourrait être important ? devina Bregan.

— Oui, répondit Nel.

Les Yokaïs avaient veillé durant des siècles, en faisant disparaitre les livres, les connaissances, en lui interdisant toute forme de technologie, à empêcher l'humanité de redevenir l'espèce égoïste et meurtrière qu'elle était avant le grand chaos. Mais Nel était persuadée qu'au fond, tout au fond d'eux, les hommes étaient restés les mêmes et que leur soif de pouvoir, leur violence, leur avidité et leur égoïsme n'avaient jamais disparu.

— Pourquoi ?

— Parce qu'il faut vraiment avoir une bonne raison pour se rendre là-bas, Bregan, expliqua-t-elle.

Les humains comme les Yokaïs ne se rendaient jamais sur les terres mortes ou « terres du vieux peuple ». D'abord parce que c'était interdit. Et ensuite parce que ces terres étaient un vaste désert dépourvu de végétation et d'eau.

Wan esquissa un rictus méprisant.

— Les bipèdes n'ont pas besoin de raison pour agir de manière stupide, il suffit de les observer.

— Peut-être, mais pourquoi aller sur ces terres maudites maintenant ? demanda Nel.

Bregan fronça les sourcils en réfléchissant.

— Les anciens racontent que les Yokaïs ou les humains qui ont enfreint la loi et qui s'y sont rendus ont soit disparu, soit succombé à d'étranges maladies...

Les lèvres de Wan s'ourlèrent en un rictus contrarié. Lui aussi connaissait ces histoires, mais, comme beaucoup de Yokaïs, il ne croyait ou ne voulait pas croire qu'elles étaient vraies.

— Comme tu dis, ce ne sont que des histoires, Taïgan. Des contes pour effrayer les enfants, commenta Wan.

— Peut-être que oui, peut-être que non, fit Bregan d'un ton songeur.

Wan poussa un profond soupir.

— Très bien. Imaginons que tout ça soit vrai, qu'est-ce que ça change ? D'après ce que disent les anciens, ces humains auraient peu de chance d'en revenir vivants de toute façon.

— Mais nous n'en sommes pas certains, intervint Nel.

— Elle n'a pas tort. Je doute que des guerriers bipèdes soient prêts à risquer leurs vies sans raison, pas alors que la guerre se prépare et que tous les hommes sont réquisitionnés pour renforcer les défenses des villes et des villages, dit Bregan.

Nel ne put réprimer un soupir de soulagement. Bregan pensait lui aussi que quelque chose clochait.

— Alors qu'est-ce qu'on fait ?

— On va aller voir ce qu'ils trament exactement, répondit-il.

— Et si ça tourne mal ? demanda Nel. Je veux dire, si on découvre quelque chose qui…

— On prendra alors les mesures qui s'imposent, fit Bregan sans lui laisser le temps de terminer sa phrase.

Les yeux de Wan se mirent à pétiller.

— Comme celles qu'on a prises à Havengard ?

Bregan hocha la tête.

— Si nécessaire.

Le sourire de Wan s'élargit. Contrairement à Bregan et Nel, il ne croyait pas à ces histoires farfelues sur les terres mortes, mais peu importe. Le fait de pouvoir à nouveau massacrer des humains était largement suffisant à le motiver.

— Je sens qu'on va s'amuser… Au fait, on fait quoi pour Maya ? Elle voudra sûrement venir avec nous elle aussi, non ?

— Ça m'étonnerait. Je doute qu'elle veuille se replonger dans les ennuis alors qu'elle vient juste d'être bannie, répondit Nel la gorge serrée.

Bregan tourna aussitôt un regard inquiet vers Mika puis soupira, rassuré. Sérieusement éprouvé par les émotions qu'il avait vécues ces dernières heures, son petit frère s'était sagement endormi près du feu et n'avait pas entendu ce que venait de dire Nel. Mika était tellement attaché à la louve que Bregan préférait continuer à lui cacher ce qu'il était arrivé à Maya pour le moment.

— Bannie ? releva Wan d'un ton incrédule.

Nel acquiesça, le regard sombre.

— Le Conseil des Lupaïs lui a ordonné de quitter le clan à la prochaine pleine lune.

Wan leva les yeux au ciel. Incontestablement, selon lui, les loups étaient des idiots, mais il n'aurait jamais imaginé qu'ils puissent l'être à ce point. Maya aurait fait un excellent chef de clan. Il l'avait suffisamment observée pour en être certain. Elle était maligne, charismatique, courageuse, intelligente et savait se faire respecter. Si on lui avait posé la question, il aurait répondu que la seule faiblesse de la Lupaï était son cœur : elle était bien trop sentimentale à son goût.

— Si c'est vrai, ça va lui donner une bonne raison de nous suivre, déclara Wan comme si c'était une évidence.

Nel lui lança un regard étonné.

— Comment ça ?

— Ils l'ont chassée, pour eux, elle ne fait déjà sans doute plus partie du clan. Alors même si elle vient avec nous et qu'elle enfreint à nouveau les règles, qu'est-ce que ça peut faire ? demanda Wan.

Bregan plissa les yeux. Le Serpaï avait l'esprit tordu, mais il devait bien reconnaître que ce qu'il venait de dire n'était pas stupide : Maya n'avait, effectivement, plus rien à perdre.

— Elle est enfermée et surveillée, elle ne pourra pas quitter sa chambre, fit-il remarquer.

— On va arranger ça, répondit Wan avec un sourire en coin.

Bregan ne put s'empêcher de sourire. Les reptiles ne raisonnaient pas comme les autres Yokaïs : ils n'avaient pas l'esprit de groupe. Ils naissaient, grandissaient et mouraient seuls, ne respectaient pas les règles et étaient réfractaires à toute forme d'autorité. La seule loi à laquelle se pliaient ces monstres indociles était celle du plus fort. Ou, dans le cas de Wan, du plus vicieux. Et pour une fois, le Taïgan était de leur avis.

— Entendu.

Le regard de Nel passa de Bregan à Wan, puis de Wan à Bregan.

— Vous êtes sérieux ? Vous voulez faire quoi !? Non mais vous êtes dingues !

Wan haussa nonchalamment les épaules.

— Pourquoi « dingues » ? On va de nouveau enfreindre la loi, alors quitte à se mettre tous les Conseils à dos, autant aller jusqu'au bout, tu ne crois pas ?

Nel déglutit. Le Serpaï avait raison sur un point : si les Conseils apprenaient qu'ils avaient encore transgressé leur autorité en se rendant sur les terres mortes, Bregan et elle subiraient à coup sûr le même sort que Maya. Quant à Wan… Eh bien pour lui, elle n'en était pas certaine : le Conseil des Serpaïs était bien trop imprévisible pour qu'on puisse anticiper ses réactions.

— Vous savez ce qui nous attend si on se fait prendre ? objecta-t-elle. Les loups nous…

— On sait parfaitement ce qu'ils nous feront, répondit Bregan. Écoute, Nel, si tu ne veux pas participer à…

— Je n'ai jamais dit que je ne le voulais pas, le coupa aussitôt Nel sèchement.

Maya l'avait aidée quand elle avait été blessée par les humains lors de l'attaque de l'école. Elle l'avait transportée sur son dos, nourrie, soignée. Maintenant que la louve avait besoin d'elle, Nel ne pouvait pas l'abandonner.

— Tant mieux parce qu'avec ou sans toi, j'ai bien l'intention d'aller la délivrer, déclara Bregan d'un ton décidé.

Il avait beau chercher, il n'avait pas encore trouvé comment sauver Maya. Et ça le minait. Non, pire que ça : ça le rendait fou. Alors oui, il avait parfaitement conscience que délivrer la louve et l'emmener sur les terres mortes n'était pas une solution, en tout cas, pas à long terme, mais il s'en moquait. Tout ce qu'il voulait à l'instant T, c'était agir. Agir et ne plus subir.

— Pareil pour moi, fit Wan.

Bregan et Nel échangèrent un regard, chacun se demandant ce qu'il arrivait au Serpaï. Il était clair qu'il haïssait la louve. Il ne s'en était du reste jamais caché. Alors pourquoi insistait-il tant pour aller la secourir ?

— Wan, je préfère te prévenir : si tu comptes profiter de la situation pour t'attaquer à Maya, je te tue, mit en garde Bregan en lui jetant un regard menaçant.

Wan s'esclaffa.

— Tu devrais apprendre à mieux cacher tes sentiments, mon gros chat, ou tu finiras par t'attirer des ennuis.

Bregan fronça les sourcils.

— Si tu insinues que…

— Oh, je n'insinue rien ! J'affirme, répliqua Wan en continuant à sourire.

Bregan le fusilla du regard.

— Tu me cherches ?

Nel poussa un profond soupir et s'interposa aussitôt.

— Eh ! Vous ne croyez pas qu'on a des choses plus importantes à régler ?

Bregan et Wan s'affrontèrent encore quelques secondes du regard, puis Mika se mit à gémir dans son sommeil et la tension entre eux redescendit comme par magie.

— Comme quoi ? s'enquit Wan en tournant la tête vers elle.

— Comme fixer un lieu de rendez-vous, répondit Nel du tac au tac. Je vous enverrai les corbeaux quand le moment sera venu, mais on doit avoir un endroit pour discuter, établir un plan…

— Pourquoi pas ici ? proposa Bregan.

— Oui, et puis tant qu'on y est, je demanderai à Dji et Miu de nous servir du thé et des petits gâteaux, ils sont tellement gentils, serviables, accueillant, je suis sûr qu'ils seront ravis, ricana Wan.

Nel se mordilla les lèvres. C'est vrai que, dit comme ça, c'était une idée stupide.

— Pourquoi pas à notre ancienne école dans ce cas ? suggéra-t-elle.

— Sur les terres des humains ? fit Bregan.

Nel haussa les épaules.

— C'est toujours moins risqué que sur nos territoires respectifs.

— Bregan, on rentre ? Maman va être inquiète et je vais me faire encore plus disputer, marmonna soudainement Mika d'une voix endormie.

Bregan tourna la tête vers son petit frère. Ses yeux étaient mi-clos, il était assis mais son corps se balançait de droite à gauche comme s'il était en train de se bercer. Il était grand temps de rentrer.

— Oui, on s'en va, fit Bregan en le soulevant dans ses bras.

Mika se blottit contre lui puis, sans complètement ouvrir les yeux, il s'adressa au Serpaï :

— Wan, je te remercie de m'avoir sauvé… et désolé de t'avoir embêté.

Pris au dépourvu, Wan se râcla la gorge.

— Tu ne m'as pas embêté. Enfin pas vraiment.

— Dis… Tu crois vraiment que Miu et Dji me mangeront si je reviens ?

Le Serpaï s'esclaffa.

— Oh ça, ça ne fait aucun doute !

Mika referma les yeux.

— Dommage…

Puis il reposa sa tête sur l'épaule de Bregan et tous deux disparurent dans la nuit.

10

Une odeur de sang tira brusquement Maya d'un sommeil profond. Puis elle vit la porte s'ouvrir et Cléa pénétrer dans sa chambre. La louve avait l'air mal en point. Ses longs cheveux étaient emmêlés, Des bleus parsemaient son visage et son cou, et des traces de sang séché recouvraient les parties de sa peau qui n'étaient pas cachées par ses vêtements.

— Mon père ? demanda immédiatement Maya en lançant un regard inquiet derrière elle.

— Il passe la nuit dehors avec les louveteaux. Il leur apprend à traquer et tuer correctement un sanglier, répondit-elle en avançant dans la pièce.

Maya secoua la tête d'un air mi-heureux, mi désapprobateur. Depuis la décision du Conseil, aucun loup n'était plus autorisé à lui rendre visite. Mais visiblement, ça n'avait pas l'air de tracasser Cléa. Elle avait enfreint les ordres en sachant pertinemment que Jolan sentirait immédiatement son odeur en rentrant à la maison et qu'elle se ferait pincer.

— Aïe ! fit Cléa en s'asseyant sur le rebord du lit.

Maya la dévisagea.

— Nuit difficile ?

Cléa haussa les épaules.

— Simple divergence d'opinion. Rien qui vaille la peine d'en parler.

Maya se pencha vers elle et commença à la renifler. Hormis quelques éraflures, elle n'était pas blessée. L'odeur de sang séché qui recouvrait sa peau ne lui appartenait pas. C'était celle d'un jeune loup arrogant appelé Opus.

Elle soupira.

— Dans quel état l'as-tu laissé ?

— Il ne devrait pas pouvoir chasser avant plusieurs semaines.

Maya fronça les sourcils. Les loups guérissaient incroyablement vite. Si Opus ne pouvait effectivement pas participer à la chasse durant plusieurs semaines, cela signifiait que Cléa l'avait pratiquement laissé pour mort.

— C'est encore à cause de moi ? demanda Maya.

Cléa aurait préféré se faire arracher les crocs plutôt que le lui avouer, mais elle se battait depuis des semaines contre tous les membres de la meute qui osait ouvertement critiquer ou insulter Maya. Parce que ça la contrariait ou l'agaçait, mais aussi parce que c'était la seule chose qu'elle pouvait faire pour elle. La seule chose contre laquelle elle ne se sentait pas impuissante.

Cléa fit mine de ne pas comprendre.

— Quoi ?

— Arrête. Arrête ou tu vas finir par être blessée, gronda Maya.

— Qui, moi ? fit Cléa avec un regard qui voulait dire : « Non mais tu m'as bien vue ? Tu crois vraiment que je vais perdre contre ces types ? »

L'assurance de Cléa était justifiée. Elle était devenue, après Maya, la louve la plus dominante de la meute et se situait désormais en haut de la hiérarchie, mais la jeune louve ne pouvait s'empêcher d'être inquiète.

— Si tu continues à prendre ma défense, l'un d'entre eux finira par te tuer.

Cléa éclata d'un rire amer.

— Cesse de te faire du mouron. Ce n'est pas moi qui risque de mourir bientôt.

Au loin, un loup hurlait de façon hystérique. Maya tourna la tête dans la direction d'où provenaient les hurlements puis se tourna de nouveau vers Cléa.

— Je ne vais pas mourir.

Le visage de Cléa devint insondable.

— Non, tu ne vas pas mourir.

Cléa pensait qu'elle pouvait lui cacher sa peur et ses doutes en conservant un visage impassible, mais Maya n'était pas dupe. La louve avait beau tenter de lui dissimuler sa détresse, il suffisait que Maya plonge son regard dans celui de Cléa pour voir les larmes couler continuellement derrière ses yeux.

— Je sais que tu ne me crois pas, Cléa, mais je m'en sortirai. Je te le jure, affirma Maya d'un ton convaincu.

Cléa baissa les yeux comme si elle ne voulait pas que Maya voie son expression, puis, redressant enfin la tête, elle se força à sourire.

— Je sais, oui. De toute façon, je ne permettrai pas qu'il t'arrive quoi que ce soit.

Puis elle ajouta d'un ton faussement enthousiaste :

— Et je ne suis pas la seule ! Si tu avais vu la tête de Bregan quand je lui ai annoncé que tu étais bannie… j'ai cru qu'il allait faire une attaque.

— Bregan ? Tu as vu Bregan ? Où ? Quand ? demanda Maya en sentant les battements de son cœur soudain s'accélérer.

— Ici, dans les bois, il y a deux jours.

Toute couleur déserta le visage de Maya.

— Ici !!!?

— Oui, enfin, près de la frontière. Il m'attendait sur mon chemin de ronde, répondit Cléa en épiant attentivement les réactions de Maya.

Avec ses longs cheveux blancs, ses yeux couleur azur, ses lèvres pleines et ses traits fins,

Maya était une vraie beauté. Mais aucun mâle n'avait jamais semblé l'intéresser. Aucun, jusqu'à Bregan…

— Mais pourquoi ? demanda Maya. Que voulait-il ? Il…

— Il était inquiet pour toi et venait prendre de tes nouvelles.

Maya déglutit.

— Quoi ? Non, c'est ridicule, il n'aurait jamais pris le risque de se faire tuer juste pour ça, juste pour…

Cléa haussa les sourcils.

— Ah non ? Il s'est servi de son corps comme bouclier et a pris une flopée de balles pour te protéger. Et tu doutes encore de lui ?

— On était au cœur de la bataille. Tu le connais : tu sais à quel point il a le sens des responsabilités. Il a agi par reflexe, ça ne veut rien dire.

Cléa poussa un soupir excédé.

— Pour connaître le cœur des autres, il faut d'abord connaître le sien.

— Quoi ?

— Rien. J'étais juste en train de penser à voix haute.

Maya regarda en direction de la fenêtre et fixa les étoiles d'un air songeur.

— Alors il sait… J'imagine que cet exil est un mal pour un bien, en fin de compte, soupira Maya.

— Que veux-tu dire ?

— Je veux dire qu'il y a peu de chance qu'on se revoie un jour et que c'est mieux comme ça.

Cléa ferma les yeux et compta jusqu'à dix dans sa tête pour ne pas exploser. La partie « humaine » de Maya éprouvait des sentiments pour Bregan, d'accord, mais il n'y avait pas de quoi en faire un drame puisque de toute façon sa partie « animale, « sa louve », n'accepterait, elle, jamais le tigre pour compagnon.

— Tu as d'autres stupidités comme ça à me sortir en réserve ? Non, parce que là, tout de suite, j'ai très envie de te mordre.

Maya sourit avec une expression d'amusement véritable cette fois. Elles n'avaient pas joué, ne s'étaient pas mordillées, coursées, depuis des semaines, et ça leur manquait à l'une comme à l'autre. Bien sûr, elles pouvaient toujours chahuter sous forme humaine, mais c'était bien moins amusant que de se rouler dans l'herbe, de chasser un lapin ou de se pincer les oreilles en couinant.

— Chiche !

— Ne me tente pas ! s'esclaffa Cléa avant de pouffer et de se jeter en riant sur Maya.

11

Léna était d'une humeur exécrable. Elle avait passé une partie de la nuit à attendre Bregan et Mika sans qu'à leur retour aucun de ses deux fils ne daigne lui fournir la moindre explication, et elle avait ensuite été réveillée aux aurores par un messager du Conseil qui lui avait signifié que les anciens réclamaient immédiatement sa présence. Or elle détestait ce genre de convocation. Oui, ce genre de convocation était toujours mauvais signe. Tout comme le fait que le Conseil se réunisse à une heure aussi matinale.

— Bonjour Léna, nous t'attendions, déclara maître Typhon au moment où elle entrait dans la salle.

La Taïgan le salua de la tête, le regard méfiant.

— Que se passe-t-il ?

— Rien de bien alarmant, du moins nous l'espérons, répondit Typhon d'un ton calme que démentait la dangereuse lueur qui brillait dans ses yeux.

— Parlez, je vous écoute.

Léna ne s'adressait qu'à maître Typhon, mais elle n'en oubliait pas pour autant la douzaine de regards inquisiteurs posés sur elle, ni la tension qui existait dans la pièce. Pas de doute : quelque chose avait rendu les membres du Conseil furieux.

— Sais-tu où se trouvait ton fils cette nuit ?

Prudente, Léna hésita. Elle n'avait aucune idée de ce qu'avait bien pu faire Bregan la veille ni de l'endroit où il avait retrouvé Mika.

— Mika s'est enfui et Bregan était à sa recherche, tous deux sont revenus sains et saufs à la maison, pourquoi ?

— Le fils du conseiller Vryr a disparu, annonça maître Typhon en scrutant attentivement son visage.

Léna haussa les sourcils.

— Sirus ? Disparu ? Et en quoi est-ce que ça me concerne ?

— Toi, je l'ignore, mais Bregan, par contre…

Le regard de Léna se durcit.

— Quoi, Bregan ?

— Sirus surveillait la frontière sud, celle qui mène aux terres des Serpaïs. Or il semble d'après les témoignages recueillis que ton fils se dirigeait justement dans cette direction hier soir…

— Vraiment ?

Maître Typhon approcha son visage de celui de Léna.

— J'aime autant te prévenir : si Bregan a enfreint les règles, il sera sévèrement puni.

Léna plissa les yeux. Bregan connaissait la loi aussi bien qu'elle. Il savait que tout combat, toute confrontation mortelle en dehors de l'arène et des règles qui régissaient les défis étaient strictement interdits.

— Mon fils n'est pas stupide, maître Typhon. Il connaît nos lois, répliqua Léna d'un ton glacial.

— Pas suffisamment à mon avis. L'odeur de Bregan était partout sur la ligne de frontière, fit remarquer Vryr en la fusillant des yeux. Que faisait-il là-bas, hein ? Qu'a-t-il fait à mon fils ?

La gorge de Léna laissa échapper un grondement.

— Qu'est-ce que vous vous imaginez ? Si Bregan avait désiré la mort de Sirus, il l'aurait défié et tué depuis longtemps ! Ton fils est un faible, Vryr, il n'a pas la moindre chance de pouvoir un jour vaincre le mien. Et tu le sais parfaitement ! Tout comme les membres du Conseil ici présents !

Comme c'était la vérité, plusieurs murmures embarrassés s'échappèrent de la salle.

— C'est faux ! Je ne te laisserai pas diffamer mon fils impunément ! hurla Vryr.

— Parfait, alors ordonne-lui, quand il rentrera, de défier Bregan directement au lieu de lui envoyer tes larbins de service ! Dis-lui de faire preuve d'un peu de courage ! ricana Léna.

Pris d'un accès de rage, Vryr frappa du poing la table qui se trouvait devant lui et la fêla en deux.

— Je ne te permets pas !

Léna émit un rire moqueur.

— Tu crois pouvoir m'effrayer avec tes manigances ? Tu crois que je ne vois pas clair en toi ? Tu penses que je ne te crois pas capable d'avoir sciemment organisé la disparition de ton fils afin de pouvoir incriminer le mien ?

Vryr s'étrangla littéralement de fureur.

— Co… comment oses-tu !!!? hurla-t-il en se ruant sur Léna.

— Ça suffit ! intervint maître Typhon en déviant le coup de poing que Vryr s'apprêtait à asséner à Léna.

— Mais vous l'avez entendue !? Vous avez entendu ce qu'elle a dit !!!? s'égosilla Vryr tandis que deux gardes lui maintenaient à présent fermement les mains dans le dos.

Maître Typhon acquiesça.

— Le Conseil a tout entendu et pris bonne note, oui.

— Et c'est tout !? C'est tout !!!?

— Non. Nous allons procéder à une enquête. S'il s'avère qu'il est réellement arrivé malheur à Sirus et que Bregan est impliqué, alors il sera jugé.

Vryr poussa un grognement puis acquiesça tandis que Léna, le menton relevé et le regard dédaigneux, quittait la salle du Conseil sans ajouter un mot.

*

À Bretva, sur les terres des hommes…

Postés sur les toits des maisons, les corbeaux regardaient avec intérêt les humains s'agiter autour des chariots qui venaient d'entrer dans la ville. Les caisses en bois que les bipèdes déchargeaient avaient une étrange odeur. Rien à voir avec celles du maïs, du blé ou de l'orge. Non, ce n'était pas une odeur de nourriture.

— Tu crois que ce sera suffisant ? demanda le tavernier à l'homme grand et mince qui conduisait l'un des chariots.

Ce dernier grimaça.

— Suffisant pour quoi ? Pour battre ces démons ? Non, mais ça devrait leur causer des dégâts.

Le conciliateur avait réquisitionné une partie des hommes pour préparer la défense de la ville et encouragé tous ses habitants à être prêts à se battre. Mais en dépit de toute l'agitation et de l'effervescence qui régnaient dans les rues, on ne sentait ni enthousiasme ni ferveur. Seulement de la peur. Aucun des habitants ne voulait de cette guerre contre les bêtes. Personne ne voulait affronter ces monstres. Seulement voilà, les Yokaïs ne leur avaient pas laissé le choix. Pas après le massacre d'Havengard. Les hommes auraient pu, sans ce sinistre événement, se contenter encore quelque temps du petit territoire que leur avaient alloué les Yokaïs. Ils auraient pu supporter la faim, les restrictions et les nombreuses interdictions qui leur étaient imposées. Ils auraient pu continuer à vivre sous la surveillance des bêtes, mais ils refusaient catégoriquement d'être considérés comme des proies ou du bétail.

— Je ne sais pas ce que les conciliateurs ont en tête, mais j'espère qu'ils ont un plan pour se débarrasser de ces bestioles parce qu'autrement, on va tous y passer, soupira le tavernier d'un ton lugubre.

— Des bruits courent que oui, répondit l'homme grand et mince.

— « Des bruits » ? Il va falloir autre chose que de simples « bruits » si on veut survivre, ricana le tavernier avec amertume.

L'homme grand et mince fronça les sourcils.

— Et tu t'en contenterais ?

— Quoi ?

— De survivre. Ça fait des siècles que les gens comme nous « survivent », tu n'en as pas marre ? Tu n'as pas envie toi aussi d'avoir, comme les bêtes, des bois, des plaines, du gibier et de l'espace pour élever ta famille ?

Le tavernier répondit, caustique :

— Oh non j'en ai pas marre, moi, de survivre. Parce qu'on peut bien dire ce qu'on veut : qu'elle soit creusée dans un petit ou un grand espace, une tombe, ça reste toujours une tombe, pas vrai ?

Comme l'homme grand et mince n'avait rien à répondre à ça, il remonta dans son chariot et partit.

*

Léna était hors d'elle. Ravalant sa colère pour y voir clair, elle marcha rapidement vers sa demeure. Ces imbéciles du Conseil et leurs petites mesquineries politiciennes commençaient à lui taper sur les nerfs. Pourquoi cherchaient-ils tant à se débarrasser de son fils ? De quoi avaient-ils peur ? De perdre le pouvoir une fois qu'il serait installé sur le trône ? De ne pas pouvoir le contrôler comme une vulgaire marionnette ? Parce que si c'était le cas, elle ne pouvait que leur donner raison : une fois roi, Bregan ne serait le jouet de personne. Et nul n'aurait de véritable influence sur lui ou sur ses décisions.

— Tu sens ? demanda Mika d'un air effrayé à Bregan.

Bregan tourna la tête vers la porte d'entrée et acquiesça. L'énergie de Léna flottait dans l'air comme une nuée de petites aiguilles invisibles et sa fureur était telle qu'elle parvenait, en dépit de la distance qui les séparait, à lui picoter la peau.

— Monte dans ta chambre.

— Mais…

— Obéis, ordonna Bregan fermement en jetant un regard inquiet à Léna qui pénétrait dans la maison.

Mika fila aussi vite qu'il le pouvait, puis Bregan se leva prudemment de sa chaise pour faire face à sa mère. Ses yeux étaient couleur ambre et ses oreilles couvertes de poils. Elle était sur le point de se transformer.

— Un problème ? s'enquit Bregan en tentant d'ignorer la bête qui faisait les cent pas et grognait dans son esprit.

Son tigre n'était pas content. Il trouvait la tigresse trop menaçante à son goût et voulait la mordre pour la remettre à sa place.

— Rien qui ne puisse se résoudre, répondit Léna d'une voix trop rauque pour être encore humaine.

Jusqu'à présent, elle avait volontairement ignoré les manigances de Vryr, mais cette fois, il était allé trop loin : elle allait le défier et débarrasser une bonne fois pour toutes le monde de ce vieux Taïgan.

— Ta colère est en train de contrarier mon tigre. Dis-moi ce qu'il se passe, demanda Bregan en inspirant pour maîtriser la bête qui grondait de rage sous sa peau.

— Vryr, fit-elle, comme si ce nom à lui seul était une malédiction.

Bregan fronça les sourcils. Bregan s'était abstenu d'éliminer son oncle à la fois par respect pour son père, le défunt roi, mais aussi en raison de ses appuis politiques. Vryr avait de nombreux alliés parmi les Taïgans et les membres du Conseil.

— Il vient ouvertement de t'accuser de *clanus infidea.*

Autrement dit, son oncle accusait Bregan d'avoir tué un membre de son clan et d'avoir bafoué leurs lois.

Bregan ricana.

— Pourquoi ne suis-je pas surpris ?

La haine et la jalousie de son oncle le rendaient stupide par certains côtés, mais aussi très déterminé. Par chance, cette détermination finissait à chaque fois par se retourner contre lui.

— Comment s'appelle ma prétendue victime ? demanda Bregan d'un air amusé.

Le calme sourire de Bregan fit redescendre la tension dans la pièce d'un ou deux crans.

Les yeux et les oreilles de Léna reprirent leur couleur et leur forme habituelles et elle lui rendit son sourire.

— Sirus. Il prétend que son fils est mort et que tu l'as tué. C'est complètement ridicule, je sais, mais...

Ses mots moururent dans sa gorge au moment même où elle vit Bregan détourner le regard.

— Bregan, ne me dis pas que... ?

— Si. Sirus est bel et bien mort.

Une profonde consternation s'afficha aussitôt sur le visage de Léna.

— Quoi ?

— Mais je n'y suis pour rien, précisa-t-il, avant de lui narrer rapidement les événements de la nuit précédente.

Léna resta silencieuse un bon moment, puis déclara d'une voix blanche :

— J'ai besoin de réfléchir.

— Pourquoi ? Où est le problème ? Je t'ai dit que je n'y étais pour rien.

Les yeux de Léna lancèrent des éclairs de colère et de frustration.

— Tu ne comprends pas : ils ne te croiront jamais.

— Quoi ?

— Ces crétins du Conseil ne voudront jamais croire que ce morveux de Sirus traquait Mika, ni qu'il a été tué par les Serpaïs.

Bregan haussa les épaules.

— C'est pourtant la vérité.

— Bregan, tu réalises ce que tu viens de me raconter ? Un prince Serpaï sauvant et protégeant un petit prince Taïgan ? Personne ne prêtera foi à une histoire pareille. Personne !

Bregan espérait qu'elle se trompait mais craignait qu'elle n'ait raison. Lui-même avait du mal à y croire.

— Si ma parole ne suffit pas, pourquoi ne poseraient-ils pas la question aux serpents ? Après tout, Sirus était dans son tort, je doute qu'ils nient quoi que ce soit.

Elle secoua la tête.

— Que les reptiles reconnaissent l'avoir tué ne changerait rien. Tu crois qu'ils ignorent les liens qui vous lient, le prince des Serpaïs et toi ? Même si Wan admettait avoir tué Sirus, tu sais ce qu'ils penseraient ? Ils penseraient que c'est toi qui le lui as demandé, toi qui l'as délibérément livré aux serpents…

Il n'y a pas pire aveugle que celui qui ne veut pas voir, songea Bregan avec amertume.

— Alors quelle solution reste-t-il ? demanda-t-il.

— Le silence. Si les Serpaïs ont dévoré Sirus, ils ne trouveront ni poils, ni os, ni trace de sang sur notre territoire. Bref, aucune preuve tangible.

— Mais ils savent probablement pour Mika. S'ils ont reconnu mon odeur, ils ont dû aussi sentir la sienne. Ils voudront sûrement l'interroger.

Léna plissa les yeux.

— Mika gardera le silence.

— Ce n'est qu'un enfant, objecta Bregan, comment veux-tu que…

— Peu importe ! Il le fera, il le fera parce qu'il sait que ce que les membres du Conseil pourraient lui faire ne serait rien à côté de ce que je pourrais, moi, lui infliger. Il le fera parce qu'il est mon fils et qu'il n'a pas le choix.

La voix de Léna était glaciale et son regard dénué d'émotion. Comment sa mère était-elle devenue ce monstre, cette femme intraitable ? Cette question le hantait depuis des années. Combien de souffrances avait-elle enduré ?

Combien de défis avait-elle dû relever ? Combien d'ennemis avait-elle été contrainte de tuer pour s'endurcir à ce point ?

Poussant un grand soupir, il inclina la tête puis remonta dans sa chambre en se demandant ce que sa position de futur roi des Taïgans allait encore lui coûter et quelle part de son âme et de son cœur il allait, comme Léna, devoir sacrifier pour accéder à un trône qui lui inspirait, au fil du temps, de moins en moins d'intérêt.

12

Nel volait, le vent fouettant ses longues plumes brunes. Elle s'était laissé porter très haut dans le ciel et des nuages bas et gonflés d'humidité flottaient juste au-dessus d'elle. Regardant le sol de ses yeux perçants, elle plaqua ses ailes contre son corps puis, comme un missile cherchant sa cible, elle commença à piquer vers la falaise.

— Je commençais à me demander quand tu reviendrais me rendre visite, petite aigle, entendit croasser Nel, peu après avoir atterri.

Nel tourna aussitôt la tête vers le grand oiseau bleu-violet qui venait de se poser près d'elle. Un long et robuste bec noir, une flopée de plumes ébouriffées formant un grand éventail autour de sa gorge, un plumage irisé, Brym, le grand corbeau, était imposant et superbe.

— Je ne voulais pas vous déranger. Je sais que vous n'aimez pas beaucoup les visiteurs, glatit Nel.

Brym hocha la tête.

— C'est vrai.

La Rapaï sourit intérieurement. Le grand corbeau était un vrai sauvage. Il détestait les Yokaïs d'une manière générale et le reste du monde en particulier. Qu'il ait accepté de la prendre sous son aile et de guider un membre de son espèce était un grand honneur. Nel en était consciente, consciente et reconnaissante. Grâce à la bienveillance et à l'appui de Brym, les corbeaux étaient devenus les yeux et les oreilles de la petite princesse des aigles et rien de ce qu'il se passait sur les autres territoires ne pouvait désormais lui échapper.

— Sachant cela, j'imagine que tu dois avoir une excellente raison pour être venue malgré tout. De quoi s'agit-il ?

Une bonne raison ? Nel espérait que ce ne soit pas le cas. Elle espérait se tromper.

— Je sais que vous savez tout, grand corbeau. Que vous connaissez toutes ces histoires sur la naissance de notre monde. Non seulement celles des Yokaïs qui racontent comment la mère créatrice s'est réveillée quand les hommes ont failli détruire la Terre, comment nous, gardiens, sommes nés, mais aussi celles des humains qui parlent de civilisations anciennes, du monde sans magie qui existait autrefois…

— En effet, je les connais toutes. Que veux-tu savoir ? croassa le grand corbeau.

— Peut-on se fier aux légendes des humains ? Je veux dire, ce monde sans magie était-il vraiment comme ils le décrivent ?

Brym abaissa son bec en guise de hochement de tête.

— Il l'était.

Nel eut l'impression de recevoir une grosse pierre sur la tête.

— Mais il n'est plus, pas vrai ? Je veux dire, les hommes ont tout détruit et il ne reste rien de leurs anciennes cités, n'est-ce pas ?

— Il m'est arrivé de survoler l'une d'entre elles lorsque j'étais plus jeune mais je serais bien incapable de te dire ce qu'il restait des anciens savoirs parmi ses vestiges, répondit le grand corbeau en scrutant Nel.

Sa réponse avait visiblement contrarié la Rapaï : la patte de Nel grattait nerveusement le sol et ses plumes se soulevaient par à-coups comme si elle respirait trop fort.

Tendant son cou vers elle, il demanda :

— Dis-moi, jeune aigle, qu'as-tu donc à l'esprit ? Pourquoi t'inquiètes-tu de ce qui a autrefois existé, et non de ce qui sera demain ?

— Des humains sont partis pour les terres maudites. Si vous m'aviez dit que toutes leurs histoires étaient fausses ou que rien de ce qui avait été construit n'avait subsisté, je ne me serais plus inquiétée de ces humains, grand corbeau. Mais s'il y a la moindre chance que certaines des monstruosités fabriquées par le vieux peuple existent encore… je n'ai malheureusement pas le choix. Je vais devoir désobéir à ma mère encore une fois.

Nel était venue voir Brym en espérant trouver des réponses. Elle ne voulait surtout pas risquer de provoquer la fureur du Conseil des Rapaïs ou d'Aeyon pour rien. Non, pas après la terrible punition qu'ils lui avaient infligée la dernière fois.

— Tu redoutes les hommes à ce point ?

Les plumes du grand corbeau avaient pris la forme d'un arc de cercle, signe chez lui d'un grand intérêt, tandis qu'il la regardait acquiescer.

— Je connais les bipèdes et je sais ce dont ils sont capables. Ils ont détruit le cadeau que leur a fait la mère créatrice de toutes choses. Détruit leur habitat avec leur avidité et leurs guerres incessantes. Ils sont mauvais.

Le grand corbeau n'était pas entièrement de cet avis. Les humains pouvaient se montrer égoïstes, violents et ils étaient capables d'agir comme des démons, mais en les observant, il avait vu aussi d'autres choses chez eux : de la tendresse, de l'amour, des rires, de la joie et parfois même de la générosité. Oh, on ne pouvait pas leur faire confiance, bien sûr, pas après ce qu'ils avaient fait, mais ils n'étaient pas tous aussi mauvais que la Rapaï semblait l'imaginer.

— Ils pensent sûrement la même chose des Yokaïs, lui fit-il remarquer.

Nel réfléchit. Les humains fuyaient les Yokaïs comme la peste. Même durant la période où elle fréquentait l'école des hommes, les jeunes bipèdes ne lui adressaient pas la parole et évitaient de croiser son regard. En grande partie à cause de la peur, mais aussi à cause de la haine qu'ils éprouvaient à son égard. Pour être honnête, ça ne l'avait guère perturbée, elle les méprisait trop pour que leur comportement ou leur ressentiment puisse la toucher.

— Oui, probablement.

— Tout est toujours une question de point de vue, croassa le corbeau. Pour eux, vous êtes des monstres et leurs geôliers. Ils vous redoutent et vous craignent à juste titre. Et pour les Yokaïs, les hommes sont les parasites de notre terre. Des insectes nocifs qu'il faudrait éradiquer.

Nel acquiesça. Ainsi allaient les choses, il aurait été vain de le nier.

— Mais pour nous, les vrais animaux, poursuivit-il, il n'existe que peu de différences entre vos deux espèces. Vous partagez la même forme quand vous vous déplacez sur deux pieds, vous parlez le même langage, vous écrivez les mêmes mots, mangez la même chose, vivez en troupeau, et vous êtes tous des prédateurs.

Nel, interdite, resta coite un moment. Elle n'avait jamais songé un seul instant à ce que venait de dire le grand corbeau. Non, elle n'avait jamais pensé à la manière dont les animaux percevaient les Yokaïs quand ils se trouvaient sous forme humaine. Elle n'avait jamais pensé qu'ils puissent ne pas faire de différence entre les deux espèces. À ses yeux, humains et Yokaïs étaient complètement dissemblables quel que soit leur aspect.

— Je n'avais jamais songé à ça, reconnut-elle.

— Tu es jeune, il y a beaucoup de choses que tu ignores encore, petite aigle.

— C'est pourquoi je suis si avide de vos conseils, grand corbeau, répondit Nel. Je sais que vous saurez me guider.

Il croassa de rire.

— Pourquoi ? À cause de mon grand âge ?

Nel ignorait l'âge du grand corbeau. D'habitude, ceux de son espèce vivaient quinze ans, voire un peu plus, mais le vieil oiseau semblait avoir toujours existé. Et il aurait fallu dix peut-être même cent vies pour accumuler son savoir.

— Non, grâce à votre sagesse, répondit Nel avec une déférence non feinte.

Le grand corbeau la fixa un instant, songeur. La petite Rapaï ne ressemblait pas du tout à sa mère, l'arrogante Aeyon. Non, Nel avait un formidable potentiel. C'était ce qui l'avait séduit chez elle. Elle était bien plus « animale » qu'humaine. Bien plus « aigle » que bipède.

— Sage ou pas, ce qui doit être sera, Rapaï. Et je ne peux malheureusement rien y changer, croassa très sérieusement Brym.

— De quoi parlez-vous ?

— Je te parle des changements à venir.

— Des changements ? Quels changements ?

— De ceux qui bouleversent le monde, répondit gravement Brym.

— Je ne comprends rien… je…

— Tu comprendras, petite aigle, oui, tu comprendras bientôt.

Puis il s'envola et ajouta en croassant :

— Pars, pars vite, enfant, le destin t'attend et il n'est guère patient. Mieux vaut ne pas le contrarier !

13

Le mot s'abattit dans la pièce comme un coup de tonnerre. Cook, aussi immobile qu'une statue, ne respirait pas, ne parlait pas et regardait fixement dans le vide.

Puis il leva enfin les yeux sur Bregan et brisa le silence qui s'était installé entre eux depuis une trentaine de secondes.

— « Partir » ? demanda-t-il.

Bregan jeta un œil aux corbeaux. Perchés sur le rebord de la fenêtre de sa chambre, les volatiles envoyés par Nel croassaient d'impatience.

— Oui, c'est ce que j'ai dit, répondit-il. Écoute, je sais ce que tu penses mais…

— Non, tu ne sais pas. Bregan, le Conseil est après toi, ton oncle est persuadé que tu as tué ton cousin, bon sang, tu ne peux pas partir ! Pas maintenant ! Ce serait comme… je ne sais pas moi, comme si tu avouais !

Cook était certain que Bregan n'avait pas tué Sirus. Il le connaissait suffisamment pour savoir que s'il avait voulu se débarrasser de cette larve, il l'aurait fait dans les règles et aux yeux de tous. Et le fait que Bregan garde le silence et refuse de répondre aux questions de Cook n'y changeait rien. Il avait une foi aveugle en lui. Mais il avait beau être convaincu de son innocence, les autres membres du clan, eux, ne partageaient pas son opinion.

— J'en ai conscience mais je n'ai pas le choix.

— Mais pourquoi !? Pourquoi ? Où vas-tu ?

— Je ne peux rien dire.

Cook déglutit.

— Tu… tu ne me fais pas confiance ?

— Si, mais je connais ma mère. Elle est capable de sentir n'importe quel mensonge. Si tu lui réponds honnêtement que tu ne sais rien et que c'est effectivement le cas, elle te croira.

Cook sentit sa gorge se serrer. Que Léna le croie ou non n'avait aucune importance. Si Bregan partait, elle allait le punir pour ne pas avoir veillé correctement sur Bregan et pour avoir failli à sa mission.

Cook poussa un son ressemblant à un feulement.

— Tu n'as aucune idée de ce dont elle est capable. Si tu t'en vas, elle va me tuer ou m'estropier.

Bregan le dévisagea comme s'il essayait de lire à travers lui, puis poussa un soupir. Cook n'était pas en train d'essayer de le retenir ou de le culpabiliser. Il avait réellement peur.

— Comme je refuse d'avoir ta mort sur la conscience, je suppose que je n'ai pas d'autre choix que de te proposer de me suivre, dit Bregan.

Le suivre ? Oui, Cook était prêt à suivre Bregan jusqu'au bout du monde et à tout abandonner plutôt que de risquer la colère de Léna, mais…

— Tu tiens tant que ça à tout risquer pour… pour quoi au juste ? C'est la louve, c'est ça ? C'est à cause d'elle que tu veux partir ?

Bregan fronça les sourcils.

— Non. Je ne vais pas nier que je m'inquiète pour Maya et que je cherche un moyen de l'aider, mais ce n'est pas à cause d'elle que j'ai pris cette décision.

— Alors quoi ?

— Il se passe des choses que le Conseil ignore, Cook. Des choses qui pourraient, si elles se révèlent exactes, mettre tous les Yokaïs en danger.

— Et tu comptes encore régler ce problème à toi tout seul ? devina Cook, excédé.

— Je ne serai pas seul, répondit Bregan en tournant la tête vers les corbeaux qui s'impatientaient et poussaient des « crôa, crôa » à la fenêtre.

Cook suivit son regard et grimaça.

— Non ? Ne me dis pas que… ?

Bregan sourit puis ouvrit la porte sans répondre. L'instant d'après, Cook lui emboîtait le pas en gémissant :

— Qu'est-ce que j'ai fait pour mériter ça ? Non, mais qu'est-ce que j'ai fait pour mériter ça ?

*

L'odeur des humains empestait l'air. Ils attendaient, dissimulés parmi les ombres de la nuit profonde qui s'étendaient comme une immense tache d'encre le long du mur de l'école. Bregan et Cook esquissèrent un rictus en s'apprêtant à se transformer lorsqu'ils entendirent soudain des hurlements, des coups de feu, de nouveaux hurlements, puis tout à coup plus rien. Rien que le silence.

— Tu es en retard.

Bregan se retourna brusquement et vit la silhouette de Wan se détacher de l'obscurité.

— C'était quoi ça ? demanda Bregan.

Le Serpaï fit les yeux ronds.

— Quoi ?

— Ces hurlements.

Les lèvres du Serpaï s'ourlèrent en un sourire nonchalant.

— Ah « ça » ? Rien… Quelques humains planqués derrière le mur.

— Et ?

— Ils étaient armés…

— Et ?

— Pourquoi t'obstines-tu à poser une question dont tu connais déjà la réponse ?

Bregan leva aussitôt les yeux au ciel. Wan avait tué ces hommes. Il les avait tués en à peine quelques secondes. Si le Taïgan n'approuvait pas le geste, il ne pouvait en contester l'efficacité.

— Je sais que tu crois que la vie serait plus simple sans les bipèdes, tous les bipèdes, mais je croyais qu'on avait décidé de rester discrets ?

En temps normal, le Serpaï et le Taïgan auraient dévoré leur proie et fait disparaitre leurs carcasses, mais consommer autant de corps prenait un certain temps, un temps qu'ils n'avaient pas.

— Quoi ? Tu aurais préféré que j'attende que ces crétins te tirent dessus ?

Puis il prit une pause et ajouta d'un ton ironique :

— Remarque, maintenant que j'y pense, c'est vrai que ça aurait pu être marrant…

— Qu'est-ce qui aurait pu être marrant ? demanda soudain Nel en surgissant brusquement d'un bosquet.

— De laisser les humains tuer Bregan, répondit Wan avec un large sourire.

Nel leva les yeux au ciel.

— Tu sais, il faut que tu te fasses soigner. T'as vraiment un problème.

— La Rapaï n'a pas tort, déclara Cook en mitraillant le Serpaï des yeux.

Pivotant vers Cook, Wan demanda, comme s'il venait juste de remarquer sa présence :

— Qu'est-ce qu'il fait là, lui ?

— Il paraît que vous allez faire dans l'évasion, la traque et peut-être même le meurtre en série... Comment voulais-tu que je résiste ? répondit Cook avec un sourire narquois.

Nel poussa un soupir. Un psychopathe atteint de pulsions homicides dans le groupe, c'était déjà pas mal, mais deux ? Là, ça commençait à faire vraiment beaucoup.

— Je sens que cette petite réunion va être pénible.

Wan tourna la tête vers elle. En général, plus il y avait de distance entre la Rapaï et lui, mieux ça valait. Mais malheureusement pour eux deux, le destin et ces insupportables humains en avaient, semblait-il, décidé autrement.

— Mais non, on va tous s'entendre à merveille, crois-moi, lança-t-il avec un petit sourire en coin qui ne disait rien de bon.

« Ouais, aussi bien que les faucons avec les lapins ou les souris avec les chouettes », songea Nel, sarcastique.

— Bon, puisqu'on est tous là, je dois vous dire que j'ai pas mal réfléchi à la situation. Je ne parle pas des humains qui se dirigent actuellement vers les terres mortes, en ce qui me concerne, leur cas est déjà réglé, mais de Maya et de son évasion de la terre des loups.

Bregan, Cook et Nel l'écoutèrent avec une grande attention.

— Voilà ce que j'ai prévu, poursuivit le Serpaï en commençant à exposer le plan qu'il avait mis au point.

Une fois qu'il eut terminé, un silence de plomb s'abattit sur eux. Puis Bregan prit la parole :

— Une diversion…

— *Deux* diversions, rectifia Wan.

— D'accord, une double diversion et une évasion dans les airs, fit Bregan. Ça ne te semble pas un peu… ?

— … Un peu quoi ? le coupa Wan.

Bregan regarda au loin, songeur.

— Je ne sais pas, ça me paraît compliqué…

— Compliqué et risqué, précisa Nel.

Wan haussa les épaules.

— Si vous avez une meilleure idée, allez-y, je n'y vois aucun inconvénient.

Nel et Bregan échangèrent un regard embarrassé. Non, aucun des deux n'avait de meilleure idée.

— Non ? fit Wan au bout de quelques secondes. Bon, alors tout le monde est d'accord ? ajouta-t-il en les dévisageant tour à tour.

Nel fronça les sourcils puis acquiesça. A priori, elle n'avait aucune raison de s'inquiéter. Wan était un grand malade sans aucune conscience morale qui aimait tuer et dévorer les gens, mais c'était aussi quelqu'un de brillant. Son idée pouvait fonctionner.

— Taïgan ?

Bregan chercha une faille au plan de Wan puis, réalisant qu'il n'en voyait aucune, il se résolut à hocher la tête à son tour.

— Bien alors c'est parti ! déclara Wan avec le sourire étincelant d'un gagnant à la loterie.

14

Un petit groupe de corbeaux suivait depuis les airs la louve qui courait dans la forêt. La bête était rapide, rapide et effrayante, et leur instinct les poussait à rester éloignés d'elle mais ils avaient une mission à remplir. Une mission dont les avait chargés la petite aigle. Ils accélérèrent leurs battements d'ailes, dépassèrent la Lupaï, puis se posèrent en travers de son chemin en croassant.

Cléa stoppa immédiatement sa course en apercevant, perplexe, les corbeaux qui lui barraient le passage. Puis, constatant qu'aucun d'entre eux ne se décidait à s'envoler en dépit de ses grognements, elle avança vers les volatiles et vit que l'un d'eux portait un petit sachet muni d'une ficelle autour de son cou.

— Crôa, crôa !!! croassa-t-il en s'approchant d'elle.

Les corbeaux de Nel. L'oiseau est forcément l'un des corbeaux de Nel, songea Cléa avant de reprendre rapidement forme humaine.

— C'est pour moi ? Qu'est-ce que c'est ? Un message de Nel ? demanda-t-elle dès qu'elle se fut transformée.

Le corbeau à la ficelle se mit à croasser comme pour lui répondre puis abaissa sa tête vers le sol. Cléa tendit la main vers le corbeau, retira la ficelle autour de son cou, puis lut le message qui se trouvait dans le sachet.

— C'est une blague ? Non mais c'est forcément une blague... ils ont perdu la tête ! s'exclama-t-elle, les yeux écarquillés.

Les corbeaux croassèrent en chœur en guise de réponse.

— Attendez, ce n'est pas que je ne veux pas, mais...

Le corbeau qui lui avait délivré le message ne lui laissa pas le temps de terminer sa phrase : il vola au-dessus d'elle et frappa le haut du crâne de Cléa avec son bec.

— Aïe ! Aïe ! Non mais ça va pas ! Arrête ça tout de suite ou je te bouffe !

Mais le corbeau ne cessa pas son petit manège et, alors que Cléa parvenait enfin à le chasser en remuant ses bras, un autre prit aussitôt sa place et commença à son tour à lui marteler le crâne.

— D'accord, d'accord, d'accord ! Ça va, j'ai compris, et puis je n'ai jamais dit que je n'étais pas d'accord ! lança Cléa en grimaçant de douleur. Mais vous direz de ma part à Nel qu'elle est complètement folle !

*

— Tu ne m'as pas dit ce que tu pensais du plan de Wan, remarqua Bregan.

Cook n'avait pas décroché un mot depuis qu'ils avaient pris la route en direction du territoire des Lupaïs.

— J'ignorais que j'avais le droit de faire part de mon opinion.

— Évidemment que tu en as le droit, soupira Bregan.

— Parfait. Alors je dirais que son plan n'est pas trop mal conçu mais que je n'en vois pas l'intérêt. En quoi avons-nous besoin de cette louve ? En quoi pourrait-elle nous être utile ? Sans compter que si on réussit, les canidés vont sûrement nous poursuivre.

Ce que venait de dire Cook n'était pas sans fondement. La Rapaï, le Serpaï, Cook et lui pouvaient traquer le petit groupe d'humains partis sur les terres maudites sans l'aide de Maya. Bien sûr, Bregan aurait pu lui rétorquer que les quatre héritiers formaient une sorte d'équipe, une équipe inattendue et surprenante, mais une équipe tout de même. Mais il n'avait pas envie de lui mentir.

— Tu as raison. Notre décision est émotionnelle, pas rationnelle, reconnut Bregan.

Cook le dévisagea longuement.

— D'accord, pour toi, je comprends, tu te sens responsable de ce qui arrive à Maya. Pour la Rapaï aussi je comprends, parce que la louve lui a sauvé la vie. Mais pour le reptile, là franchement, j'ai beau chercher, je ne vois pas ce qui le motive.

— Là, on est deux, fit Bregan d'un air préoccupé.

C'était Wan qui avait suggéré de libérer Maya et de l'emmener avec eux, c'était Wan qui avait mis le plan au point et pris les choses en main. Et Bregan n'en comprenait pas non plus la raison.

— Bon sang, j'espère que ce n'est pas un des coups fourrés dont il a le secret ! déclara Cook en énonçant à voix haute ce qu'ils pensaient tous deux tout bas.

*

— Prépare tes affaires, tu t'en vas ! fit Cléa en pénétrant en trombe dans la chambre de Maya. Cette dernière lui lança un regard surpris puis lui demanda, un sourire moqueur aux lèvres :

— Tu as reçu un coup sur la tête ?

— Je ne plaisante pas. Les autres vont bientôt venir te chercher.

Maya haussa les sourcils.

— Quels autres ?

— Nel, Bregan, Wan…

Maya plongea son regard dans celui de Cléa puis, comprenant qu'elle disait la vérité, elle blêmit.

— Non ! Non ! Non ! C'est bien trop dangereux. Ils vont se faire tuer. Il n'en est pas question ! Dis-leur que je ne veux pas ! Que je vais bien et que je veux rester ici !

Maya ne voulait surtout pas leur causer d'ennuis. Et encore moins que Bregan et Nel risquent leurs vies pour la sauver. Non, ça c'était au-dessus de ses forces.

Cléa détourna le regard.

— Il est trop tard, Maya.

— C'est absurde ! Complètement absurde ! balbutia Maya, si paniquée qu'elle avait du mal à respirer.

— Ce n'est visiblement pas leur avis, répondit Cléa d'une voix atone.

— Mais à quoi bon me libérer puisque je n'ai nulle part où aller ?

— Franchement, je n'ai aucune idée de ce qu'ils ont en tête.

— Qu'est-ce… qu'est-ce qu'on peut faire ? Il faut les empêcher de… on ne peut pas…

La voix de Maya était hachée comme si elle était en train de se noyer. Cléa la saisit par les bras et la fixa durement.

— Je te l'ai dit : il est trop tard. Alors ressaisis-toi et tiens-toi prête. Ils ne vont pas tarder.

*

— Tu peux me dire pourquoi c'est nous qui sommes chargés de faire diversion ? grimaça Cook tandis qu'ils franchissaient la frontière nord, celle qui séparait le territoire des Taïgans et celui des Lupaïs.

Bregan haussa les épaules.

— Wan aussi fera sa part. Il doit déjà être arrivé à la frontière sud.

Le plan du Serpaï était simple : Bregan et Cook devaient se faire repérer par un guetteur au nord des terres des loups et Wan au sud. Une fois donnée l'alerte sur les deux flancs, la meute entière allait se mobiliser pour défendre son territoire et Nel aurait le champ libre pour aller récupérer Maya.

— Que tu dis : qu'est-ce qui nous prouve qu'il ne s'est pas défilé ? Ou qu'il ne s'agit pas d'un piège et qu'il ne nous a pas donnés aux loups ?

Rien. Bregan n'avait aucune certitude que Wan ne les avait pas trahis et qu'il n'avait pas monté ce plan pour se débarrasser de lui. Mais c'était un risque à courir.

— Je te préviens, si ces canidés me tuent, mon fantôme te hantera jusqu'à la fin de tes jours, poursuivit Cook.

— Super, j'espère qu'il sera de meilleure compagnie que toi… Où sont leurs sentinelles ? s'étonna Bregan en balayant les alentours du regard sans trouver la trace d'un guetteur.

— Aucune idée, répondit Cook en s'arrêtant de marcher.

Le Taïgan ne voulait pas trop s'éloigner de la frontière afin de pouvoir rapidement retourner sur ses pas. En particulier s'il devait avoir la moitié d'une meute de loups-garous fous furieux aux trousses.

— On aurait peut-être dû ramener un tambourin ou un truc qui fait du bruit, ricana Cook.

— Tant que tu ne chantes pas…, plaisanta Bregan.

— Pourquoi ? J'ai une belle voix ! répondit Cook, vexé. Tiens, écoute ...

Il se mit alors à chanter à tue-tête. Des oiseaux s'envolèrent et, quelques secondes plus tard, ils virent enfin un énorme loup noir et massif accourir dans leur direction.

— Tu vois, je te l'avais dit, tout le monde aime ma voix, fit Cook, amusé, avant de se transformer.

Bregan s'esclaffa et muta à son tour.

*

De l'autre côté des terres des loups, à la frontière sud, Wan dévisageait en souriant la sentinelle des Lupaïs qui l'écoutait parler d'un air stupéfait :

— Oui, je sais, je n'ai pas le droit d'être là, loup, mais que veux-tu que je te dise ? Je trouve les frontières, les règles et les lois très surfaites. Oh, je sais qu'il en faut bien sûr, mais je crois que c'est pas mon truc... Alors ouais, tu vas me rétorquer que je devrais faire un effort, que c'est très vilain d'enfreindre les traités et patati et patata et tu aurais raison, mais bon... puisque je suis là, maintenant qu'est-ce qu'on fait ?

Quelque chose de sombre et de dangereux bougea dans les profondeurs pourpres des yeux du Serpaï et le Lupaï sentit soudain un frisson lui remonter le long de l'échine.

— Si j'étais toi, psss... j'appellerais des renforts, psssss..., siffla le Serpaï tandis que sa tête s'aplatissait et que son corps s'allongeait démesurément.

L'instant d'après, la sentinelle hurlait pour alerter la meute.

*

Portée par les vents thermiques, Nel volait en observant de ses yeux perçants les deux gigantesques groupes de loups qui se dirigeaient l'un vers le nord, l'autre vers le sud du territoire des Lupaïs. Parfait, beau travail, les garçons, songea-t-elle en reportant ensuite son attention sur le village presque désert des canidés. C'était le moment d'agir. Repliant ses ailes, elle fonça tête baissée vers le sol.

— Maya ! Vite ! C'est Nel ! hurla Cléa qui était en train de scruter le ciel par la fenêtre.

Maya, qui attendait le signal de Cléa pour se précipiter hors de sa chambre, se mit à courir aussi vite que ses jambes le lui permettaient. À peine avait-elle franchi le seuil de la maison qu'un hurlement assourdissant résonnait sur sa gauche. Il était si proche qu'elle pouvait en sentir la vibration. Un garde, son père, ou plutôt le Conseil, avait laissé un loup adulte pour surveiller le village et les louveteaux. Maya n'avait aucun moyen de savoir s'il sonnait l'alerte parce qu'il avait aperçu Nel ou parce que la jeune louve avait quitté la cage dorée dans laquelle elle était enfermée, et pour tout dire, ça n'avait pas d'importance. Tout ce qu'elle avait à faire, c'était de suivre les instructions que la petite aigle avait écrites dans son message : courir sur la place et tendre les bras de chaque côté.

Après qu'elle eut repéré Maya, Nel trompeta si fort que tous les louveteaux et le garde s'allongèrent, paniqués, puis elle ouvrit ses serres, agrippa la louve et l'entraîna aussitôt avec elle dans les airs.

*

À la frontière nord du territoire des loups…

— Je te jure que si on s'en sort, je bouffe ce crétin de Serpaï ! feula Cook en courant ventre à terre.

— Tais-toi et accélère ! gronda Bregan en sentant le souffle d'un loup sur son arrière-train.

Dans la nature, les loups couraient un peu moins vite que les tigres, mais leur vitesse moyenne était pratiquement identique sur de longues distances. Bregan et Cook avaient donc, en théorie, toutes les chances d'échapper à la meute sur la centaine de mètres qui les séparait de la frontière des Taïgans. Évidemment, ce n'était qu'une théorie et elle ne prenait pas en compte les variables comme la méconnaissance du terrain, la peur ou les montées d'adrénaline.

— Bregan ! gronda Cook en sentant les crocs d'un Lupaï mordre son flanc.

— Ne t'arrête pas ! Si tu t'arrêtes on est morts ! feula Bregan tandis qu'ils atteignaient la terre des tigres.

Par chance, les gardes-frontières Taïgans, attirés par les hurlements et les jappements des Lupaïs, s'étaient rassemblés et postés juste sur la ligne de démarcation. Et dès qu'ils virent Bregan et Cook sortir en courant des bois, ils s'écartèrent pour les laisser passer puis se regroupèrent pour former un mur impénétrable de griffes et de crocs juste derrière eux.

Les Lupaïs réagirent aussitôt en apercevant les tigres et stoppèrent net leur course. Certains d'entre eux se mirent à hurler de frustration, d'autres grondèrent en dévoilant leurs crocs mais tous comprirent à ce moment-là que la chasse était terminée et que leurs proies leur avaient échappé.

*

Maya huma l'air en souriant à l'aigle qui venait de se poser dans une clairière, quelque part sur les terres neutres. Ses bras et ses épaules la faisaient souffrir après avoir parcouru une trentaine de kilomètres suspendue dans les airs, mais elle n'en avait cure. Autour d'elle, il y avait une odeur de pluie d'été et d'herbe, une étendue infinie de bois et des oiseaux qui volaient. Elle était libre. Enfin. Et c'était tout ce qui comptait pour l'instant.

— Merci, fit Maya à Nel dès que la Rapaï eut repris forme humaine.

Les lèvres de cette dernière s'ourlèrent en un large sourire.

— De rien. C'était amusant !

— Où sont Wan et Bregan ? demanda Maya en jetant un œil aux alentours.

— Ils ne devraient plus tarder, répondit Nel avec une assurance qu'elle ne ressentait pas.

Elle ne voulait surtout pas inquiéter Maya, mais le plan du Serpaï n'était pas sans danger. Et elle espérait qu'il n'ait pas mal tourné. Le sort du prince des serpents lui importait peu, mais pas celui du Taïgan. Bregan était droit, franc, et c'était le grand frère de Mika. Et elle savait que ce dernier serait terriblement blessé si quoi que ce soit arrivait à son aîné.

— Tu n'imagines pas combien j'ai rêvé de ce moment, fit Maya en sentant le vent caresser ses longs cheveux blancs. J'ai…

Elle se tut, soudain confuse. Une expression douloureuse déforma les traits de son visage et elle se laissa choir sur le sol tandis qu'un étau lui comprimait si fort la poitrine qu'elle en avait le souffle coupé.

Nel se précipita aussitôt vers elle.

— Maya !!!

La Lupaï se mordit les lèvres jusqu'au sang pour ne pas hurler. C'était comme si sa louve lui déchirait les entrailles et tentait de se frayer un chemin vers l'extérieur à coups de griffes et de crocs.

— Ma louve, balbutia-t-elle au bord des larmes, elle…

Nel fronça les sourcils.

— Quoi ? C'est ta bête ? Elle veut sortir, c'est ça ?

Maya hocha la tête parce qu'elle savait que si elle ouvrait la bouche, le seul son qui pourrait en sortir serait un cri de douleur. Nel grimaça. Que la Lupaï ne puisse plus contrôler sa bête à ce point ne pouvait avoir qu'une seule explication : Maya n'avait pas muté depuis longtemps. Trop longtemps.

— Pendant combien de temps, Maya ? Pendant combien de temps les tiens t'ont-ils torturée en t'empêchant de te transformer ? demanda Nel en écarquillant les yeux d'horreur.

Mais Maya n'était en état ni d'écouter ni de répondre. Rejetant la tête en arrière, elle laissa échapper un son aigu, puis un hurlement animal. Sa peau humaine fondit comme de la glace, révélant un monceau de muscles et une épaisse fourrure blanche.

Stoïque, Nel s'écarta puis, avec un regard empli de compassion, la vit se transformer en un loup de la taille d'un cheval. Comment les Lupaïs pouvaient-ils se montrer si cruels ? Empêcher un Yokaï de muter était le châtiment le plus terrible, le plus douloureux qu'on puisse infliger à l'un des leurs. Imaginer que Maya ait dû subir ça durant des semaines révoltait la Rapaï et lui donnait des envies de meurtre.

— Va, Lupaï ! Va ! Va chasser ! Je peux attendre ! lança Nel une fois que Maya eut fini de se transformer.

La louve blanche poussa un grognement puis, repérant un cerf qui paissait à l'orée du bois, elle se mit à détaler si vite que Nel ne put s'empêcher de sourire.

*

À la frontière sud du territoire des loups...

Wan riait intérieurement. Les gueules des Lupaïs étaient de rage pure. Leurs regards noirs rivés sur les cimes, ils grognaient, grondaient, hurlaient leur frustration en le regardant tendre et détendre son long corps de serpent autour des troncs pour se déplacer élégamment d'un arbre à l'autre.

— Eh oui, je sais, c'est pas juste, siffla Wan en baissant les yeux vers les canidés.

Ils avaient beau être nombreux et forts, aucun d'entre eux ne savait encore grimper aux arbres. Ce qui lui procurait un net avantage. Il pouvait affronter un, deux, peut-être trois loups en même temps, mais pas la moitié d'une meute déchaînée. Il ne fallait pas charrier.

En bas, Jolan observait le Serpaï en réfléchissant. Il savait grâce à ses yeux pourpres que le serpent en haut de l'arbre était l'héritier des reptiles. Il connaissait sa réputation de tueur à sang-froid. Et pourtant, il n'avait pas tué leur sentinelle, non, il s'était contenté de grimper à un arbre et de fuir en direction de la frontière en les entendant arriver. Et Jolan se demandait pourquoi. Pourquoi quelqu'un d'aussi intelligent, d'aussi calculateur que Wan s'était-il introduit seul en territoire ennemi ? Quel était l'intérêt ? Jolan n'en voyait aucun. Aucun à part…

— Wouahou ! Wouahou ! Wouah-ouah-ouh !

Maya ? « En fuite » ? Oh non ! songea Jolan en répondant au hurlement du loup de garde. Une diversion. Tout ça n'était qu'une diversion. Comme l'attaque des Taïgans qui était en cours sur la frontière nord. Maya, ils étaient venus pour Maya.

— Wouahouhouhou ! hurla Jolan avant de foncer, avec les autres, en direction du village.

Wan les regarda décamper en poussant un sifflement méprisant. Ces crétins de Lupaïs venaient enfin de comprendre.

15

— On aurait peut-être dû s'arrêter pour leur parler, maugréa Cook tandis qu'ils pénétraient sur les terres neutres.

Bregan haussa les sourcils.

— À qui ? Aux gardes-frontières ?

Les gardes-frontières Taïgans avaient su, en voyant Cook et Bregan sortir en courant du territoire des loups, que ces derniers avaient enfreint le traité et commis un crime grave. Mais ça ne les avait pas empêchés de s'interposer pour autant.

— Et tu voulais qu'on leur dise quoi ? « Désolés, les gars, on savait qu'on risquait de déclencher une guerre en pénétrant sur le territoire des Lupaïs mais on avait besoin d'aider la princesse des loups à s'échapper » ? ironisa Bregan.

Cook grimaça. C'est vrai que dit comme ça, ils les auraient sûrement pris pour des fous. Et ils auraient raison. Bregan et lui n'avaient aucune excuse. Ils avaient délibérément enfreint le traité conclu entre les loups et les tigres et ils allaient en payer le prix tôt ou tard. Il n'osait même pas songer à la réaction de Léna quand elle apprendrait ce que son fils chéri venait de faire.

— Tu sais, je ne crois pas que je vais revenir, soupira Cook.

— Quoi ?

— Si je reviens, ta mère ne va pas se contenter de me tuer. Non, elle va me tuer lentement, très lentement, très très lentement…

— Si ça peut te consoler, Léna a beaucoup de défauts, mais elle ne s'amuse pas à torturer les gens. Elle les tue vite et efficacement, répondit Bregan d'un ton nonchalant.

Cook roula des yeux.

— C'est ça qui est censé me consoler ?

— Ben oui.

— Je déteste quand t'essaies de faire de l'humour.

Bregan haussa les sourcils.

— Qui t'a dit que c'était de l'humour ?

— Alors là, génial, vraiment génial ! geignit Cook tandis qu'ils arrivaient dans la clairière où Nel leur avait fixé rendez-vous.

Cette dernière avança aussitôt vers eux en demandant :

— Qu'est-ce qui vous a pris tant de temps ? On commençait à s'inquiéter.

— *Elle* commençait à s'inquiéter, pas moi, crut bon de rectifier aussitôt le Serpaï avec un sourire narquois.

Bregan tourna la tête vers Wan. Il s'en était sorti indemne lui aussi et le Taïgan ne savait pas s'il devait s'en féliciter ou le déplorer.

— Charmant, fit Cook, les yeux comme des mitraillettes.

Pas de doute : il haïssait ce fichu serpent.

— Où est Maya ? demanda Bregan en la cherchant du regard.

— Elle avait besoin de se dégourdir les pattes. Elle ne devrait pas tarder, répondit Nel.

— Elle est allée courir ? s'étonna Bregan.

— Non. Chasser, précisa Nel. Les loups ne l'ont pas laissé muter depuis des semaines.

Bregan serra les poings. Des semaines ? Un flot d'injures lui traversa l'esprit.

— Quelqu'un vient ! les alerta soudain Wan en indiquant de la tête la direction d'un bosquet.

Les yeux de Bregan et Cook se remplissaient d'ambre lorsqu'ils virent soudain Cléa apparaître devant eux.

— Ah super ! s'écria-t-elle en les voyant. Vous êtes là ! J'avais peur de vous avoir perdus. Oh bien sûr j'avais bien ma petite idée... J'ai suivi Nel pendant pas mal de temps, mais vous savez ce que c'est, les Rapaïs volent très vite et... enfin bref...

En la reconnaissant, Bregan et Cook ravalèrent leurs bêtes et reprirent leur forme humaine.

— Qu'est-ce que tu fais là, Lupaï ? siffla Wan dans le dos de la louve.

Bregan, Nel et Cook furent surpris. Ils n'avaient pas vu le Serpaï se déplacer tant il avait été rapide.

— Ce n'est pas évident ? Je pars avec vous, déclara Cléa.

— Quoi ? Ah non pas question ! Je dois déjà supporter celui-là, siffla Wan en jetant un regard dédaigneux à Cook, alors il n'est pas question que...

— Que quoi ? gronda Cléa en plissant les yeux. Ah, parce que tu crois que j'ai le choix ? Qu'est-ce que vous vous imaginez ? Vous croyez que mon clan ne se doutera pas que j'ai aidé Maya à fuir ?

— Elle a raison, reconnut Nel. Les loups vont chercher des responsables.

— Ce n'est pas notre problème, asséna froidement Wan.

Bregan fronça les sourcils.

— Si ça l'est, objecta-t-il. Ça l'est depuis que nous avons sollicité son aide.

— Parfait, je me disais justement que notre petit groupe manquait de jolies filles, fit Cook avec un sourire jusqu'aux oreilles.

Cléa lui jeta un regard noir. Il lui répondit par un sourire faussement naïf.

— Quoi ? Apprécier la compagnie féminine n'est pas un crime.

Cléa leva les yeux au ciel. Cook avait toujours été un irréductible coureur de jupons. Il lui était même arrivé à l'école de sortir avec des humaines, mais la Lupaï savait qu'il n'avait jamais pris l'une de ces histoires au sérieux. Le Taïgan avait le cœur trop sec et l'esprit bien trop étriqué pour s'intéresser sincèrement à une femelle, et encore moins à une femelle d'une espèce différente de la sienne.

— Alors quel est le programme ? demanda-t-elle en reportant son attention sur Bregan.

Cléa avait fait partie de leur groupe. Elle avait combattu les humains avec eux à Havengard. Bregan estima qu'elle avait le droit de savoir.

— On part pour les terres maudites.

La louve écarquilla les yeux.

— Quoi ? C'est ça votre plan ? Mais pourquoi ? Je pensais que…

— Tu pensais quoi ? la coupa Wan.

— Je ne sais pas trop mais…

— Justement. Tu ne sais pas, trancha Wan.

« Ouais peut-être, mais je sais quand même que les terres maudites sont des terres mortes, que leurs eaux sont polluées et que leur air est irrespirable, bref, que c'est le pire endroit du monde », songea Cléa, vexée.

— Je sais que ce n'est pas dans ta nature, Serpaï, mais tu pourrais essayer de te montrer un peu plus aimable avec Cléa, n'oublie pas qu'elle est de notre côté, lui rappela Nel sèchement.

Wan lui jeta un regard glacial.

— Quoi ? Tu veux me donner des leçons de savoir-vivre, Rapaï ?

— Je ne sais pas ce qu'en pensent les autres, mais moi je dirais que ce ne serait pas du luxe, ricana Cook.

— Maya ?! s'exclama soudain Bregan en voyant la Lupaï surgir du bois.

Elle avait repris forme humaine et souriait.

— Désolée, mais ma louve avait un besoin impérieux de prendre l'air.

Bregan se rua sur Maya et combla l'espace qui les séparait en un clin d'œil. Puis il l'étreignit si fort qu'elle sentit sa respiration se couper. Maya, un peu abasourdie, s'accrocha à lui sans savoir quoi dire. Finalement, au bout d'un temps qui lui parut durer des heures, elle le repoussa fermement en disant :

— Tu… tu m'étouffes.

Bregan s'écarta et lui sourit.

— Je suis soulagé, tellement soulagé que tu ailles bien.

Maya lui retourna son sourire.

— Aller bien, c'est beaucoup dire…

Bregan la regarda intensément et lui effleura la joue. Cléa pinça les lèvres en voyant Maya rougir, puis elle reporta son attention sur le Taïgan. Les traits de Bregan n'étaient pas aussi délicats et il n'était pas aussi beau que Wan – personne n'était aussi beau que Wan –, mais il était terriblement séduisant, elle devait bien le reconnaître. Il avait la puissance inscrite dans chaque millimètre de sa chair. À côté de lui, la plupart des autres mâles paraissaient frêles, faibles et fades.

— Je sens qu'ils ne vont pas tarder à me gonfler ces deux-là, grimaça Wan en regardant Bregan et Maya.

Il n'avait pas beaucoup de principes et il lui arrivait rarement d'être choqué, mais il avait ressenti un malaise en voyant le Taïgan et la Lupaï se tenir serrés l'un contre l'autre. Il ne savait pas à quoi cette gêne était due. Mais ça ne lui avait pas plu. Non, pas plu du tout.

— Oh ça va, Bregan est heureux de revoir Maya, et alors ? Il n'est pas le seul, commenta Nel en souriant chaleureusement à la louve.

— Oui, c'est vrai que c'est sympa de te revoir, fit Cook en se forçant à sourire à son tour à Maya.

Le sourire de la louve s'élargit.

— Merci. Merci à tous d'avoir pris tous ces risques pour moi. Franchement, je ne sais pas comment vous remercier.

— Calme-toi, princesse, si on l'a fait ce n'est pas pour tes beaux yeux, mais parce qu'on pensait que tu pourrais être utile, dit Wan d'un ton froid.

— Wan ! le réprimanda aussitôt Bregan.

— Quoi ? C'est vrai, non ? rétorqua Wan.

Maya fronça les sourcils.

— Utile ? Utile à quoi exactement ?

— À traquer un groupe d'humains, répondit Wan. En tant que loup, tu possèdes le meilleur odorat de nous tous, pas vrai ?

— Wan s'exprime uniquement en son nom, déclara Bregan. Moi je ne suis pas venu te libérer à cause de ce problème, Maya.

— Ni moi, lança Nel en fusillant le Serpaï du regard.

Maya plissa les yeux.

— Attendez, de quel problème parlez-vous exactement ?

Bregan soupira et commença à parler des corbeaux, des humains et des terres mortes. À la fin de son récit, Maya et Cléa grimaçaient.

— Les Conseils vont nous tuer, soupira Cléa en réalisant toutes les implications que la traque d'humains sur les terres maudites allait poser.

— Ou vous finirez tous bannis, comme moi, ajouta Maya.

— On a enfreint les traités en pénétrant sur le territoire des loups, aidé une Lupaï à s'échapper et désobéi à l'interdiction qui nous avait été faite de nous rencontrer. Franchement, que l'on aille traquer et tuer un groupe d'humains en plus, ne changera sûrement plus rien à leur future décision, fit observer Bregan.

— Tu oublies « a aussi tué l'un de ses congénères » dans la liste des trucs que le Conseil va te reprocher, ricana Cook.

Tous se tournèrent aussitôt vers Bregan ; ce dernier haussa les épaules.

— Le Conseil des Taïgans pense que j'ai tué mon cousin Sirus.

Maya écarquilla les yeux.

— Et c'est vrai ?

Wan eut une sorte de hoquet puis il éclata soudain de rire.

— Je ne vois pas ce que ça a d'amusant, Wan ! gronda Maya.

— Moi si ! Parce que ce n'est pas Bregan mais moi qui ai ordonné l'exécution de ce crétin ! fit-il en se tordant littéralement de rire.

Cook tourna un regard surpris vers Bregan.

— Sérieux ? C'est Wan qui... ?

Bregan confirma par un hochement de tête.

— Mais pourquoi n'as-tu rien dit au Conseil ? s'exclama Cook.

— Il n'a rien dit parce que le Conseil des Taïgans penserait sûrement – et maintenant qu'on a pris la fuite ensemble ça ne va pas s'arranger – qu'on était complices, pas vrai, Bregan ? devina Wan en s'esclaffant de plus belle.

— C'est complètement idiot ! protesta Cook. Bregan n'avait aucune raison de tuer Sirus. Il était agaçant, tout comme ses provocations, mais...

— Oh si, il avait une raison. Son cher cousin a tenté de tuer son petit frère. Avoue que ça fait un joli mobile, pas vrai ? dit Wan en riant.

Maya blêmit.

— Mika ? Il a tenté de tuer Mika ?

— Et tu sais le plus drôle ? fit Nel. C'est Wan qui l'a protégé.

— Tu… tu as sauvé Mika ? demanda Maya en regardant le Serpaï d'un air incrédule.

— Ce Taïgan poursuivait le petit sur mes terres. Je me suis simplement contenté de liquider un invité indésirable, il n'y a pas de quoi en faire un plat, répondit Wan.

Tous le dévisagèrent aussitôt d'un air si estomaqué que le Serpaï fronça les sourcils.

— Quoi ? Qu'est-ce que vous avez tous à me regarder comme ça ?

— Rien, rien, c'est juste que c'est… inattendu, répondit Cléa.

— Oui c'est ça, c'est inattendu, confirma Maya, gênée.

— Inattendu ? Stupéfiant et surréaliste, oui ! Non mais franchement, avoue : t'étais pas dans ton état normal, pas vrai ? plaisanta Cook.

Wan croisa les bras.

— Vous avez fini ? Vous ne croyez pas qu'on a des trucs plus importants à penser ?

— Il a raison, ça suffit ! gronda Bregan.

Tous reportèrent aussitôt leur attention sur le Taïgan.

— Alors maintenant que vous savez de quoi il retourne, il est temps de se décider : qui est d'accord pour me suivre sur les terres mortes ? demanda Bregan tandis que son regard se posait tour à tour sur chacun de leurs visages.

Le Taïgan était conscient de ce qu'il leur demandait. Les terres mortes n'étaient pas seulement interdites aux humains. Elles l'étaient aussi aux Yokaïs. Et même s'il connaissait déjà la réponse de Wan et Nel, il ne voulait forcer personne à désobéir à l'une de leurs lois les plus anciennes.

— C'est d'accord pour moi, répondit Nel en premier.

— OK pour moi, fit Wan.

— Pour moi aussi, fit Maya.

— Idem, ajouta Cook.

Cléa sembla hésiter, puis lâcha :

— Si je comprends bien, on se souciera des conséquences plus tard ?

Tous la regardèrent sans répondre.

— Bon, j'aurais préféré une autre destination, un endroit moins glauque et moins effrayant, poursuivit-elle, mais puisque les humains ne nous laissent pas le choix : pour moi aussi c'est d'accord.

16

Jolan ne décolérait pas. Depuis son évasion, l'espoir que conservait encore le chef de meute de faire changer d'avis le Conseil des Lupaïs au sujet de sa fille s'était complètement évanoui. Plus grave encore : en échappant à une partie de la sentence et en s'enfuyant comme elle venait de le faire, Maya allait être non plus seulement considérée comme une « exclue », mais comme une « ennemie de la meute ». Une ennemie que tous les loups se feraient, à présent, un devoir d'éliminer.

— Que comptes-tu faire ? demanda Malak.

Jolan détourna son regard de la fenêtre et fit face au chaman de la meute.

— Que veux-tu que je fasse ? Même si je la retrouvais, je ne pourrais pas la ramener ici.

Le chaman fronça les sourcils.

— Le moins qu'on puisse dire, c'est que ta fille n'est pas dépourvue de ressources.

— C'est à cause de ces trois idiots ! Ce Wan, cette Nel, et surtout ce Bregan ! Celui-là, si je le tenais… !!!

— J'avoue qu'ils nous ont bien roulés, reconnut le chaman en se grattant la gorge d'un air embarrassé.

— Et alors ? Qu'est-ce que ça va leur apporter ? Qu'elle soit libre ou non, Maya n'a nulle part où aller de toute façon.

Malak afficha une mine songeuse.

— Ce n'était peut-être pas leur but.

— Quoi ?

— Je dis que libérer Maya n'était peut-être pas un but en soi et qu'ils ont probablement d'autres projets.

Jolan lui lança un regard incrédule.

— Ah oui ? Comme quoi ? Déclencher une guerre entre les Lupaïs et les autres clans ?!

Malak haussa les sourcils.

— Une guerre ? À cause de cet incident ?

— Un *incident* ? Ils ont enlevé ma fille !

— D'après le témoignage du garde, il ne s'agissait pas d'un enlèvement mais d'une évasion, objecta calmement Malak.

Les yeux de Jolan s'emplirent de fureur.

— C'est parce qu'elle est jeune ! Elle ne sait pas ce qu'elle fait !

— Qui cherches- tu à convaincre ? Moi ou toi-même ?

Jolan frappa rageusement le mur de son poing.

— Mais ce n'est qu'une gosse !

— Plus vraiment.

— Qu'est-ce que tu en sais ?

Malak ne put s'empêcher de sourire.

— N'oublie pas que je connais ta fille presque aussi bien que toi. Maya n'est plus une petite fille. Elle est en âge de faire ses propres choix et d'en assumer les conséquences. Il va falloir que tu apprennes à l'accepter.

Un grondement menaçant s'échappa du thorax de Jolan.

— Accepter quoi ? Que depuis son évasion, la meute considère ma fille comme une ennemie !? Et que mon Conseil veuille sa mort ? J'ai accepté qu'elle soit punie parce que c'était juste, mais ça ? Non, Malak. Même s'il faut réduire cette meute et le Conseil en pièces, je ne l'accepterai pas. Jamais !

Malak le regarda, choqué.

— Tu réalises ce que tu dis ?

— Oui. Je suis prêt à défier tous ceux qui s'en prendraient à elle.

Jolan ne plaisantait pas. Malak pouvait le voir à ses yeux.

— Tu sais que je t'ai soutenu et que j'ai soutenu Maya devant le Conseil… mais tu ne peux pas faire ça. Même un chef de meute doit se plier à la loi.

Les lèvres de Jolan s'ourlèrent en un rictus mauvais.

— Oh mais je m'y plie. Un défi n'est pas contraire à la loi, que je sache…

Malak écarquilla les yeux.

— Alors tu irais jusque-là ?

— Sans aucune hésitation.

— Bien, je vais en avertir les autres.

— Fais donc ça.

L'instant d'après, Malak et le reste de la meute, inquiets, entendaient dans la forêt le hurlement de rage de leur puissant et effrayant chef de meute.

*

Bregan leva les yeux vers le ciel. La lumière du jour n'allait pas tarder à disparaitre pour faire place à l'obscurité et, à voir la mine des autres, tous commençaient à fatiguer. Pour ne pas se faire remarquer, les jeunes Yokaïs avaient renoncé à voyager sous leur forme animale. Guidés par les corbeaux, ils avaient contourné les villages humains et arpenté des chemins quasi déserts. Et ils se dirigeaient à présent vers une immense forêt afin d'y passer la nuit.

— Je croyais que les bipèdes avaient déraciné la plupart des arbres pour pouvoir agrandir leur domaine cultivable, fit Cléa, étonnée.

— Il faut croire qu'ils ne sont pas aussi stupides qu'on le pensait, dit Nel.

— Les bois ont l'air assez grands, on devrait pouvoir chasser et se nourrir, remarqua Maya, soulagée.

— Heureusement, je nous imaginais déjà en train de mourir de faim ! approuva Cléa.

— Forêt ou pas, ça, ça ne risque pas d'arriver, fit Wan avec un étrange sourire.

Maya le regarda d'un air soupçonneux.

— Ça veut dire quoi au juste ?

— Ça veut dire que ces terres regorgent d'humains à dévorer, expliqua Wan.

— C'est pas faux, admit Cook en souriant.

— Vous… vous voulez qu'on se nourrisse d'humains durant le voyage ? demanda Maya, effarée.

— Si c'est nécessaire, répondit Cook.

— Et même si ça ne l'est pas, ajouta froidement Wan.

Maya les ignora et se tourna vers Bregan.

— Tu es d'accord avec ça ?

— Ils font ce qu'ils veulent. Je ne suis ni leur mère ni leur nounou, répondit Bregan avec indifférence.

— Mais Bregan, c'est un traitement qu'on inflige uniquement à nos ennemis, objecta Maya.

— Les humains ont montré leur vrai visage et c'est indubitablement celui d'un ennemi, rétorqua Bregan avant de s'adresser à Wan et

Cook et d'ajouter : Par contre, je veux que vous restiez discrets. Je ne veux pas avoir à me battre avant d'être arrivé aux terres maudites.

Outrée, Maya prit Nel et Cléa à témoin :

— Vous êtes de leur avis ? Vous allez chasser les humains durant le voyage ?

Nel haussa les épaules.

— Si on n'a pas d'autre choix…

— On n'a aucune provision et le voyage devrait nous prendre au moins cinq jours, essaya de se justifier Cléa.

Tuer et dévorer des humains durant un combat était une chose, les tuer pour se nourrir en était une autre. Les humains étaient bien plus évolués que les animaux. Ils parlaient comme les Yokaïs, vivaient en partie comme les Yokaïs, et Maya ne se voyait pas les traiter comme des lapins, des cerfs ou des sangliers. Elle déglutit.

— Vous… vous êtes sûrs ? Il y a peut-être un autre moyen ?

Wan la tira par le bras et la fit pivoter vers lui.

— Tu as pitié d'eux ? De ces humains ?

Elle secoua la tête.

— Non. J'ai pitié de moi. Je ne veux pas devenir un monstre.

— Avoir l'instinct de survie ne fait pas de nous des monstres, Maya, déclara soudain Cook, agacé.

— Et quand bien même, où est le problème ? demanda Wan. Nous sommes des prédateurs, et rien de ce que tu pourras dire ou faire ne changera cet état de fait.

En ce qui le concernait, rien n'était plus vrai. Wan provoquait une peur viscérale aussi bien chez les humains que chez la plupart des Yokaïs. Et chaque fois que Maya fixait son visage parfait, elle se disait qu'elle n'avait jamais rencontré d'être aussi mortellement dangereux que celui-là dans toute sa vie.

— Éloigne-toi de moi.

— Tu n'es qu'une petite idiote sentimentale ! lâcha Wan avec dédain.

Luttant contre l'envie urgente qu'elle avait de détourner le regard, Maya serra les dents.

— Je t'ai dit de t'éloigner de moi.

— Fais ce qu'elle te dit ! gronda Bregan en s'interposant entre eux.

Wan tourna lentement la tête vers lui.

— Je ne vois pas ce qui te plaît à ce point chez elle. Elle est faible.

— Ressentir des émotions n'est pas une faiblesse, Serpaï, c'est ne pas les dominer qui en est une, répliqua sèchement Maya avant de muter et de s'élancer vers la forêt.

*

— Je l'ai rarement vue aussi furieuse, fit Cléa en regardant Maya s'éloigner.

— Oui, pas de doute Wan, elle te déteste ! confirma Nel avant d'ajouter avec un grand sourire : Et elle n'est pas la seule.

— Je me fiche éperdument de ce que cette louve ou toi pensez de moi. La seule chose qui m'intéresse, c'est de combattre les humains et de les manger, fit Wan avant de se transformer et de pénétrer à son tour dans les bois.

Cléa fit un clin d'œil à Nel.

— Il ne serait pas un peu obsessionnel ?

Nel se mit à rire, puis, écartant légèrement son pouce et son index, elle répondit :

— Un tantinet.

— Bon, qu'est-ce qu'on fait ? On les suit ? demanda Cook avec impatience en se tournant vers Bregan.

Ce dernier fit non de la tête.

— On installe d'abord le campement côté nord.

Les bois étaient gigantesques mais Nel, qui était renseignée par les corbeaux, lui avait dit que les routes pour y accéder étaient pratiquement toutes situées au sud, et donc qu'ils avaient moins de chance de tomber sur des humains de ce côté.

— Entendu, soupira Cook, déçu.

— Pendant ce temps, je vais survoler la forêt afin de m'assurer que tout va bien, fit Nel.

— Nel, non. Tu es beaucoup trop grande pour te faire passer pour un aigle ordinaire, déclara Bregan.

— Mais il fait presque nuit, les humains ne me verront pas ! protesta Nel.

— Possible mais je ne veux prendre aucun risque, répondit Bregan tandis qu'ils pénétraient à présent tous dans les bois.

— Tu n'es pas drôle ! soupira Nel.

Bregan la regarda, surpris. Pour la première fois depuis qu'il la connaissait, la Rapaï se comportait comme une vraie petite fille de 12 ans.

Il sourit.

— Non. Et si tu me désobéis, tu seras privée de souris.

*

Le chevreuil se tourna et scruta l'obscurité. Après une ou deux secondes, ses narines frémirent et il se mit à avancer. Maya le laissa s'éloigner de quelques pas, puis ses pattes foulèrent de nouveau la terre compacte en silence. Une chouette se mit à hululer. Le chevreuil s'arrêta tout à coup, ses yeux balayant les alentours avec méfiance. Il ne faisait pas encore totalement nuit et la louve craignit, l'espace d'un instant, qu'il ait entraperçu l'un de ses mouvements ou même un simple vacillement d'ombre. Les chevreuils couraient vite et elle ne se sentait pas d'humeur à le prendre longtemps en chasse. Mais son inquiétude disparut rapidement en voyant le cervidé soudain baisser la tête vers un petit tas de ronces et commencer à manger. Se déplaçant sur l'arrière de ses pelotes plantaires afin d'éviter de faire trop de bruit, Maya s'approchait doucement quand une rafale de vent charria soudain son odeur jusqu'aux narines du chevreuil. Il releva aussitôt la tête. Cette fois, il était sûr. Il savait. Il avait senti sa présence. Les muscles bandés, il s'apprêtait à détaler lorsque Maya, les oreilles aplaties et les crocs découverts, bondit soudain lourdement sur son dos.

*

Wan observait la scène en silence. La nuit était tombée. Maya, qui avait repris forme humaine, tirait derrière elle le corps encore chaud d'un chevreuil. Tout occupée à sa tâche, elle n'avait visiblement pas vu les deux chasseurs qui l'observaient depuis sa mutation. Le Serpaï, furieux et les yeux grands ouverts, pouvait voir les canons de leurs fusils briller à la lueur de la lune. Lentement, prudemment, il se mit à ramper vers eux. Tout compte fait, il n'allait pas inscrire un animal sauvage à son menu du soir, non, mais deux beaux bipèdes bien dodus.

Bien décidé à surprendre ses proies, il s'approcha doucement dans le dos des deux hommes. L'un d'entre eux braquait à présent son fusil en direction de Maya. Se redressant, le serpent ouvrait la gueule pour avaler le chasseur qui s'apprêtait à tirer sur la louve lorsqu'il entendit soudain le bruit d'une détonation. Poussant un sifflement mécontent, il attrapa le haut du corps du tireur et commença à mâcher avant de le gober tout entier sous le regard terrifié et hébété de son acolyte. Le second chasseur, tétanisé semblait prostré. Les jambes tremblantes, il resta un instant sans bouger à fixer Wan, puis il se mit enfin à hurler.

*

Maya s'était allongée sur le sol. Du sang coulait de sa cuisse. Le hurlement d'un humain résonna dans l'obscurité, puis le hurlement disparut et un profond silence remplaça la profonde agitation qui s'était emparée de la forêt.

— Maya !

— Je suis là, répondit-elle, soulagée en reconnaissant la voix humaine de Wan.

Le Serpaï la rejoignit en quelques foulées.

— On m'a tiré dessus, expliqua la louve, Fais attention, c'est peut-être dangereux, il pourrait…

— Les chasseurs sont morts, lui révéla-t-il avec un sourire terrifiant comme l'enfer.

Une lueur de compréhension s'alluma dans le regard de Maya.

— Ah c'était toi *les cris* ?

— Qu'est-ce qui t'as pris ? Tu ne les as pas entendus ou sentis ? demanda Wan d'un ton tranchant.

Maya détourna le regard. Non, elle n'avait pas senti les humains. Submergée par la frénésie de la chasse, elle n'avait songé qu'à capturer sa proie.

— Non, j'étais…

— … sous forme humaine, termina-t-il sèchement. Pourquoi ?

— Je voulais rapporter ce chevreuil et le partager avec les autres mais avec mes crocs, je ne pouvais pas le…

— C'est bien ce que je disais : tu n'es qu'une idiote ! siffla-t-il.

— C'est de ta faute ! grogna-t-elle de mauvaise foi. Si tu ne m'avais pas énervée autant avant que je parte chasser…

Il lui lança un regard goguenard.

— Et c'est toi qui parlais de dominer ses émotions ?

Elle se pinça les lèvres.

— Tu comptes vraiment reparler de ça maintenant ?

Wan leva les yeux au ciel et poussa un soupir.

— Tu es blessée ?

— Une balle a transpercé ma jambe mais ça devrait guérir rapidement, fit-elle en scrutant la blessure sur sa cuisse.

Wan s'abaissa puis la souleva dans ses bras.

— Eh ! Repose-moi ! Qu'est-ce que tu fais ? hurla Maya.

Ignorant ses protestations, le Serpaï continua à avancer.

— Pourquoi ? Tu crois que tu peux marcher ?

— Non, mais je peux essayer, fit-elle en frissonnant au contact de ses doigts froids.

— Pas question. Si tu forces maintenant, ça mettra plus de temps à guérir et tu risques de nous retarder, assura-t-il.

Maya esquissa un rictus.

— Il n'y a pas à dire, tu sais réconforter une femme blessée.

— Une femme ? Quelle femme ? Moi, je ne vois qu'une petite louve stupide et maladroite qui n'est même pas fichue de repérer deux chasseurs humains, ricana Wan.

Maya serra les dents. Elle avait envie de le mordre. Très envie. Mais elle savait parfaitement que si elle faisait ça, Wan lui collerait une raclée. Ou pire.

— Je peux savoir ce que tu fais ? gronda Bregan en apparaissant tout à coup devant eux.

Le Serpaï eut un sourire moqueur, puis il transféra aussitôt Maya dans les bras du Taïgan.

— Tiens, cadeau ! Et comme je n'ai pas la vocation de garde du corps, précise bien à ta petite protégée que, la prochaine fois, je n'interviendrai pas et que je me contenterai d'assister au spectacle.

— Je ne t'avais rien demandé ! gronda Maya, outrée.

— Maya ! Maya ! Ça va ? Tu… tu es blessée ? s'exclama Cléa en accourant vers elle.

— Elle va bien ? J'ai entendu des coups de feu, s'inquiéta Nel en arrivant à son tour.

— Ce n'est rien. Juste une égratignure, répondit Maya en mitraillant des yeux le dos de Wan qui s'éloignait.

Elle détestait le Serpaï plus que n'importe qui au monde. Il était méchant, arrogant, imbu de lui-même, insupportable et…

— Maya ? Tu te sens bien ? demanda Bregan en la sentant trembler de rage dans ses bras.

— Oui. C'est juste que je ne peux pas supporter ce sale crétin condescendant !

Une lueur amusée s'alluma dans le regard de Bregan.

— Il t'a quand même sauvé la vie...

Maya se mordit les lèvres, un peu embarrassée. Les chasseurs l'avaient prise pour cible alors qu'elle était sous forme humaine, donc vulnérable. Par conséquent, c'était la vérité : ces hommes auraient très bien pu la tuer. Mais elle était encore trop furieuse contre le Serpaï pour lui en être reconnaissante.

— Il l'a fait uniquement pour me faire enrager !

— Le connaissant, c'est bien possible ! s'esclaffa Bregan avant de l'emmener vers le campement que Cook avait probablement fini d'installer.

17

Mika était effrayé. Vêtu d'un pyjama, caché en haut de l'escalier, il écoutait Léna et maître Typhon qui se disputaient dans la salle à manger. Le pouvoir et la chaleur qu'ils irradiaient rendaient l'air de la maison presque irrespirable.

— Tu es allée trop loin, Léna ! Tu n'aurais pas dû le défier ! hurlait maître Typhon d'un ton rageur.

— C'est Vryr qui est allé trop loin ! D'abord il reproche à Bregan d'avoir tué Sirus et ensuite il l'accuse de trahison !!!? s'insurgeait Léna.

— Bregan s'est enfui !

— Je ne sais pas pourquoi mon fils est parti, mais je le connais suffisamment pour savoir qu'il devait avoir ses raisons !

— Oh mais on les connaît ses raisons : il a assassiné Sirus !

— Non ! C'est faux ! Bregan est innocent !

— Bregan a osé enfreindre le traité avec les loups, il s'est introduit sur leur territoire et a failli provoquer un conflit entre nos gardes-frontières et la meute !

— Là encore, il doit y avoir une explication !

— Oui, il y en a une : Bregan est un jeune fou irresponsable et un meurtrier ! Il ne pourra jamais devenir le roi de ce clan ni prendre la place de son père, Léna. Non, plus maintenant !

— Ah non ? Et qui l'en empêchera ? Toi ?

— S'il le faut.

— Très bien, en ce cas j'imagine qu'après avoir tué Vryr dans l'arène, je vais devoir te défier toi aussi.

Maître Typhon ricana.

— Tuer Vryr ? Tu crois vraiment qu'ils t'en laisseront l'occasion ?

— Qu'est-ce que ça veut dire ?

— Ça veut dire que si tu persistes à défier Vryr, je ne pourrai plus te protéger.

Un grondement s'échappa de la gorge de Léna.

— C'est une menace !?

— Non. Un fait. Ne t'entête pas, ou tu risques de le regretter, Léna.

La porte de la maison s'ouvrit puis se referma ensuite violemment. Mika resta un bon moment prostré, puis, les jambes tremblantes et le cœur lourd, il retourna dans sa chambre sans faire de bruit.

*

Bregan contemplait les étoiles qui luisaient à travers le plafond de feuilles qui ondulaient dans le vent. À côté de lui, Maya dormait profondément, Cook et Cléa, assis un peu plus loin, parlaient à voix basse et Wan montait la garde près du feu. Tout était paisible, presque grisant. Il n'avait plus à se soucier du Conseil, des défis, de la guerre ou de la politique. Le Taïgan était libéré de tout fardeau.

— Tu devrais dormir, un long trajet nous attend demain, murmura soudain Nel en se penchant au-dessus de lui.

Bregan leva les yeux vers elle. La jeune Rapaï avait le regard brillant et les joues rouges. Elle avait l'air heureuse.

— Comment était ton vol ? chuchota Bregan en se relevant.

Nel sourit jusqu'aux oreilles.

— Vivifiant. J'ai repéré un groupe d'hommes qui campent à trois ou quatre kilomètres à l'est. Il devrait être facile de les éviter.

— Étaient-ils armés ?

— Oui.

— Hum… il semble que les hommes ont fabriqué et distribué plus de fusils que nous ne le pensions.

— Il n'y a pas que les fusils. Les corbeaux ont dit qu'il existait d'autres sortes d'armes. Des armes qui provoquent des explosions.

— En as-tu informé ton Conseil ?

Nel eut un sourire triste.

— Mon Conseil se moque de ce que disent les corbeaux.

— Pourquoi est-ce que ça ne m'étonne pas ? ricana Bregan. Ces vieux imbéciles sont tous les mêmes. Ils n'écoutent rien, rien du tout.

Nel afficha soudain une expression songeuse.

— Je me demande…

— Quoi ?

— Je ne suis pas certaine qu'en voyageant à ce rythme on puisse rattraper les humains. Mais moi je peux le faire. Je peux voler jusqu'aux terres maudites en un rien de temps, alors pourquoi ne pas…

Bregan fronça les sourcils.

— Non, c'est trop risqué.

Nel leva les yeux au ciel.

— Tu oublies que je suis une Rapaï. Je peux très bien me débrouiller.

— Et toi tu oublies que tu ne sais rien de ce qui t'attend en terres maudites.

Nel grimaça.

— Oh, crois moi, j'ai bien moins peur de ce qui se passera là-bas que de ce qui se passera chez moi, à notre retour.

— Tu crains la réaction de ton Conseil ?

— Non. Celle de ma mère. Quand elle a appris ce que j'avais fait à Havengard, elle m'a brisé une aile et je n'ai pas pu voler durant un mois.

Elle poussa un soupir et ajouta :

— Cette fois ce sera pire.

Bregan haussa les sourcils, interloqué.

— Elle t'a… brisé une aile ?

Nel haussa les épaules.

— Oh, ce n'est rien ! Elle aurait aussi bien pu m'arracher un œil. C'est son truc, ça, les yeux.

Bregan se frotta nerveusement l'arcade sourcilière. À leur retour de la citadelle, Maya avait été bannie, Nel blessée par sa mère, et il avait constamment été contraint de se battre dans l'arène. Mais aucun d'entre eux n'avait pourtant hésité, quand l'occasion s'était présentée, comme aujourd'hui, à bafouer la loi à nouveau… Qu'est-ce que ça disait d'eux ? Il n'en était pas très sûr, mais il était au moins certain d'une chose : ni la Lupaï ni la Rapaï ni lui ne sortiraient indemnes de cette aventure.

— À quoi est-ce que tu penses ? Pourquoi fais-tu cette tête ? demanda Nel en le voyant grimacer.

— Rien. Je me disais simplement que finalement nous n'étions peut-être pas destinés à régner, répondit gravement Bregan.

— Régner ? Pff… ce serait déjà pas mal si, à mon retour, ma mère me laisse en vie ! pouffa Nel.

Maya, qui s'était réveillée et qui écoutait leur conversation depuis plusieurs minutes, ouvrit les yeux.

— En ce qui me concerne, le problème est réglé : je ne suis d'ores et déjà plus la « petite princesse » des loups.

Un rire moqueur retentit soudain.

— Si je comprends bien, vous comptez laisser ces crétins des Conseils gagner ?

Tous tournèrent aussitôt la tête vers Wan.

— Non, je demande parce que si c'était moi, je ne l'envisagerais même pas.

Nel lui jeta un regard ironique.

— Non. Toi, tu tuerais tous ceux qui ne seraient pas d'accord avec toi.

Wan eut un sourire dur, presque cruel.

— Évidemment.

— Tu vas faire un horrible roi des serpents, soupira Nel.

— Pourquoi ? Parce que si j'étais à votre place, je ne laisserais pas ces imbéciles et ces lâches entraver ma destinée ?

— Non. Parce que tu penses toujours que la fin justifie les moyens, répliqua Nel.

— Que veux-tu que je te dise ? On ne se refait pas, rétorqua Wan d'un ton amusé avant de se lever et de s'éloigner dans l'obscurité.

Nel et Maya échangèrent un regard perplexe tandis que, de son côté, Bregan s'allongeait sur le sol et recommençait à contempler le ciel d'un air soucieux.

*

À l'est, le matin se levait, blafard, tandis que le petit groupe de Yokaïs se remettait en route. Il faisait encore frais mais les premiers rayons du soleil brillaient déjà et les oiseaux chantaient comme par une belle et douce journée d'été. Regagnant les petits chemins qui longeaient la rivière de Ghilm, ils continuèrent à marcher durant pratiquement toute la matinée en direction de l'ouest puis, au croisement des quatre chemins de Yom, ils bifurquèrent vers le nord et les terres maudites.

— Tu es certaine que c'est la bonne route ? demanda Cook en regardant les champs de blé qui semblaient s'étendre à l'infini.

Nel, agacée, haussa les épaules.

— Tu n'as qu'à poser la question aux corbeaux.

— Ridicule. On suit ces sales bestioles depuis…

— Elles n'ont rien de sales bestioles, rétorqua froidement Nel.

— Inutile de t'énerver, ce ne sont que des oiseaux, soupira Cook sans réaliser ce que sa réflexion avait de vexant pour la Rapaï.

Pinçant les lèvres, Nel se tourna vers Bregan.

— Tu peux me redonner la raison pour laquelle on doit se coltiner cet idiot ?

Bregan poussa un soupir.

— Tu finiras par t'habituer à lui, j'y suis bien parvenu, moi.

— Alors ça, j'en doute, répondit Nel en grimaçant.

Maya ne put s'empêcher de rire.

— Quoi ? fit Nel étonnée.

— Non, rien. C'est juste que vous n'avez pas changé ! répondit Maya en riant.

— Non, ils sont toujours aussi usants, confirma Cléa.

— Ça va peut-être vous sembler bizarre mais je crois que vous m'avez manqué, reconnut Maya d'un ton qui disait qu'elle n'en revenait pas elle-même.

Wan ricana.

— Tous ?

Maya cessa de sourire puis répondit en le fixant intensément :

— Presque.

Le Serpaï soutint son regard et demanda :

— Je devrais me sentir vexé ?

Cléa leva les yeux au ciel et marmonna entre ses dents :

— C'est bien ce que je disais : usants, tous usants… Pas vrai, Bregan ?

Mais Bregan ne répondit pas. Il avait l'esprit préoccupé. Les humains avaient plusieurs jours d'avance sur eux et ils possédaient des chevaux. Ils avaient peut-être même déjà atteint leur destination.

— Je suis très reconnaissant aux corbeaux de nous servir de guides, déclara-t-il soudain avec tact, mais je me demande s'il ne serait pas plus rapide de couper à travers les villages plutôt que de les contourner.

— Et si les bipèdes nous remarquent, on fait quoi ? Non, parce qu'entre les cheveux blancs de Maya et les yeux mauves de Wan, ça va être difficile de passer inaperçus, releva Cook.

— Tant pis, on prend le risque. Bregan a raison, si on continue à se déplacer aussi lentement, nos proies vont finir par nous échapper, jugea Wan.

— Il nous faudrait des chevaux, déclara Nel.

Maya secoua la tête.

— Les chevaux ont peur de nous.

Les chevaux, comme la plupart des animaux, paniquaient dès qu'ils sentaient l'odeur des Lupaïs et des Taïgans.

— Vous ne croyez pas qu'il serait plus simple de se transformer ? suggéra Cléa. On pourrait gagner un temps fou.

— Si on mute, les humains penseront à une attaque, objecta Bregan.

— Et alors ? demanda Cook, agacé.

— On en a déjà discuté, fit Bregan. D'abord on évalue la situation et ensuite on se bat.

— Il a raison, fit Nel avant d'ajouter : Si on s'arrête dans un village, on peut trouver une selle. Il faudra rallonger les sangles et vous serez sans doute un peu serrés, mais c'est faisable.

— Une selle ? s'étonna Maya.

— Avec une selle suffisamment grande, je peux porter deux d'entre vous et vous conduire sur les terres maudites en deux jours, assura Nel.

Bregan fronça les sourcils.

— Nel, je t'ai déjà dit que…

— Je sais ce que tu m'as dit, mais on n'a pas le choix. Pas si on veut avoir une chance de les rattraper, rétorqua sèchement Nel.

Bregan prit un moment de réflexion puis finit par acquiescer.

— Très bien. Demande aux corbeaux où se trouve le village le plus proche.

Nel acquiesça, puis elle leva aussitôt les yeux vers les oiseaux.

18

Duncan et sa troupe avaient installé leur campement dans la sinistre forêt qui servait de frontière entre les terres des hommes et les terres maudites. À cause de ses arbres gigantesques et tordus et des étranges grognements et sifflements que les chasseurs entendaient parfois, la plupart des humains refusaient d'y pénétrer. Certains paysans prétendaient même qu'elle était hantée. Mais Duncan avait déjà traversé ces bois et il ne croyait pas à toutes ces superstitions ridicules.

— Duncan, Damian et Syph sont allés chasser. Il ne nous reste pratiquement plus de provisions et tu sais tout comme moi qu'on ne pourra ni manger ni boire une fois là-bas, fit Amar, un gros homme au teint mat et aux biceps proéminents, en regardant Duncan.

— Entendu. Dis bien aux autres de limiter leur consommation d'eau, répondit ce dernier.

Amar hocha la tête. Il s'éloigna de quelques pas, hésita, puis revint sur ses pas.

— Tu vas bien ? Je veux dire, tu es déjà allé là-bas il y a deux mois mais tu n'as pas l'air malade, ni rien.

Duncan eut un rictus, puis il passa sa main sur son crâne et lui montra la poignée de cheveux qu'il tenait dans sa main.

— Ça répond à ta question ?

— Alors on va tous mourir de cette maladie, c'est ça ? Ça prendra quoi ? Une année, un mois, un…

Amar s'interrompit, comme si les mots refusaient de sortir de sa gorge. Duncan le regarda longuement puis acquiesça. Il ne leur avait pas menti. Tous les hommes présents savaient à quoi s'attendre et pourtant chacun d'entre eux s'était porté volontaire pour cette mission.

Mais il comprenait la pointe d'espoir qui subsistait dans le cœur d'Amar. Se résoudre à mourir était terrifiant. Si terrifiant que ça pouvait briser les cœurs et les esprits.

— Tu as peur ?

— Je suis terrifié, reconnut Amar.

— Il est encore temps de changer d'avis.

Amar inspira très fort et secoua la tête.

— Non. On ne peut pas reculer. C'est le seul moyen.

Sauver leurs femmes, leurs enfants était tout ce qui comptait pour les hommes de la troupe. C'était pour ça qu'ils avaient accepté de se sacrifier : par amour.

Mais Duncan n'était pas comme eux. Non. Duncan était motivé par la haine. Il voulait voir tous les Yokaïs morts. Il voulait voir ces monstres disparaitre une bonne fois pour toutes.

*

Wan avait espéré entrer dans la bourgade en plein jour. Il avait espéré arpenter les rues et se rendre sur la place du marché afin de se choisir une proie fraîche et appétissante, mais au lieu de cela, Bregan et les autres avaient préféré attendre la nuit pour pénétrer dans le village. Et à présent, les habitants étaient tous couchés et les ruelles étaient désertes à l'exception de quelques cabots fouinant dans les poubelles.

— Et maintenant on fait comment pour trouver une selle ? demanda le Serpaï en secouant la tête. Toutes les échoppes sont fermées. Y compris celle du maréchal-ferrant.

— C'est un sellier qu'il nous faut, rectifia Bregan, pas un maréchal-ferrant.

Wan lui jeta un regard agacé.

— D'accord, donc je réitère ma question : où va-t-on trouver ce fameux sellier ?

— On peut demander aux gens qui sont là, fit Maya en leur montrant du doigt le flot de lumière qui s'échappait d'une porte ouverte.

On pouvait entendre des rires et des bruits de voix.

— C'est une taverne, dit Cléa en souriant.

Wan sourit jusqu'aux oreilles.

— Bien, enfin une bonne nouvelle !

Bregan se plaça aussitôt devant lui comme pour l'empêcher d'avancer.

— Wan, j'ai dit « discrets », alors on ne blesse, on ne tue et on ne mange personne, d'accord ?

Cook grimaça.

— T'es sérieux ?

— Sérieux ou pas, je ne reçois d'ordre de personne, Taïgan, répondit Wan d'un ton aussi tranchant qu'une épée.

Cléa soupira.

— OK, faisons un compromis : on trouve le sellier, il nous fabrique la selle de Nel et on laisse ensuite Wan le manger. Hein ? Qu'est-ce que vous en dites ?

Wan lui jeta un regard dédaigneux.

— Je chasse ma nourriture, Lupaï, je ne la mendie pas.

— S'il ne veut pas du sellier, je le veux bien, moi, fit Cook.

— Vous croyez vraiment que c'est le moment de discuter de ça ? intervint Nel.

— Non, absolument pas, fit Maya avant d'entrer dans la taverne.

La salle était constituée d'épais murs d'argile et de poutres. Des odeurs d'alcool, de sueur et de viande fumée emplissaient la pièce. Réprimant un hoquet nauséeux, Maya alla s'asseoir et fut soulagée de voir Bregan et les autres la rejoindre dans la foulée.

— Pourquoi t'es-tu assise ? On veut juste demander un renseignement, non ? s'étonna Bregan.

— C'est l'odeur… ça m'a donné mal au cœur, répondit-elle.

Cook se mit à rire.

— C'est vrai qu'ils sentent mauvais. Mais leur chair, elle, n'a pas mauvais goût.

Nel, qui fixait les humains, remarqua qu'une femme venait de pousser du coude son compagnon de table et de les désigner de manière imperceptible.

— On ne peut pas rester là, déclara la Rapaï avant de se lever et de se diriger vers elle.

La femme était forte, elle avait de longs cheveux blonds et affichait un sourire où il manquait quelques dents. Nel et elle échangèrent quelques mots, la femme fit des gestes avec son bras, puis Nel hocha la tête et repartit vers ses compagnons.

— Je sais où habite le sellier.

Bregan et les autres se levèrent au moment même où le patron venait prendre la commande.

— Désolés, on ne peut pas rester tout compte fait, fit Maya en se forçant à sourire.

Wan, qui avait gardé les yeux à demi fermés jusque-là, les ouvrit et fixa le tavernier :

— Mais on reviendra bientôt, promis.

*

— Wan, t'étais vraiment obligé de faire ça ? gronda Bregan tandis qu'ils marchaient vers la maison du sellier.

— Quoi ? Je suis resté poli, non ? protesta le Serpaï en souriant.

— J'ai cru que le tavernier allait faire une crise cardiaque ! s'esclaffa Cook.

— Évidemment. Tu as vu beaucoup d'humains, toi, avec les yeux mauves ? grommela Maya.

— Non mais en même temps, je n'ai pas vu de Yokaïs avec des yeux de cette couleur non plus, dit Cléa.

— C'est ici, fit Nel tandis qu'elle s'arrêtait devant une petite maison adossée à une grande écurie.

— On frappe ? demanda Cook en s'apprêtant à cogner contre les volets.

— Non, on n'a pas le temps, fit Bregan en défonçant la porte d'un coup de pied. Avec le petit numéro que vient de faire Wan, tout le village va probablement bientôt accourir jusqu'ici avec des fusils et des torches.

*

Le sellier, un homme brun et mince, travaillait le cuir d'une main tremblante. Il gardait la tête baissée et son regard évitait celui de Wan et Bregan autant qu'il le pouvait. Il ne savait pas qui étaient ces gamins, mais il savait au moins une chose : ils étaient dangereux. Plus dangereux que tous les soldats et même les assassins à qui il avait eu affaire jusqu'à présent. Et quand ils avaient menacé de les tuer lui et sa famille s'il ne fabriquait pas cette curieuse selle, il n'avait pas douté une seule seconde qu'ils mettraient leur menace à exécution.

— Papa ?

Le sellier blêmit en voyant sa petite fille apparaître dans l'encadrement de la porte.

— Que fais-tu là ? Va te coucher !

— Mais papa, je…

— Je t'ai dit d'aller te coucher !

Cook sourit puis se dirigea vers la fillette.

— Que se passe-t-il ? Tu ne veux pas dormir ? Tu sais ce qu'il arrive aux vilaines petites filles qui ne veulent pas dormir ?

Elle secoua la tête. Cook lui caressa le crâne et gronda :

— Les méchants monstres se glissent dans leur chambre et les dévorent !

La fillette écarquilla les yeux et se mit à pleurer en entendant le grondement qui s'échappait de la gorge de Cook.

— Vraiment, il n'y en a pas un pour racheter l'autre ! se fâcha Maya.

Wan leva les mains.

— Désolé, mais cette fois je n'y suis pour rien.

— J'ai… j'ai fini, fit le sellier d'une voix blanche en se dirigeant vers sa fille.

— Bon alors j'imagine que c'est le moment de dîner, siffla Wan en se tournant lentement vers le sellier.

Maya regarda vers la fillette qui s'était réfugiée dans les bras de son père et hurla :

— Non !

Wan reporta aussitôt son attention sur Maya.

— Quoi ?

— Pas devant l'enfant. S'il te plaît…

— Bregan ! Trois hommes viennent par ici ! les alerta Cléa qui s'était postée près de la fenêtre.

Wan fixa Maya dans les yeux et demanda avec un petit rictus ironique :

— Et là, je peux ?

Elle hocha la tête et il fila comme le vent.

Quelques instants plus tard, Cook retrouvait Maya, Cléa, Nel et Bregan à l'entrée du village.

— Le serpent est rapide. Il ne m'en a laissé qu'un seul, geignit-il, déçu.

— C'est le problème avec les Serpaïs, ce sont de vrais goinfres, soupira Cléa.

— Qui part ? questionna Maya en regardant Nel.

— Bregan et moi. Pour le troisième, faites comme vous voulez, déclara Nel d'un ton péremptoire avant de s'éloigner pour pouvoir tranquillement se transformer.

— Je vois… Eh bien que diriez-vous de tirer ça à la courte paille ? proposa Cook.

Cléa haussa les sourcils.

— La courte paille ?

— Un jeu que m'a appris une humaine, expliqua Cook en ramassant des bouts d'herbe.

Wan, qui venait de les rejoindre, regarda Cook d'un air sceptique.

— Il fait quoi ?

— On va faire un jeu, l'informa Cléa.

Les yeux du Serpaï s'arrondirent d'étonnement.

— Un jeu ? Pour quoi faire ?

— Pour désigner celui qui partira avec Nel, répondit Maya.

Wan grimaça d'un air suffisant.

— Dans ce cas, non merci.

— Pourquoi ? Tu n'aimes pas les jeux ? se moqua Cléa.

— Si, mais je refuse de monter sur le dos d'une Rapaï.

— Même si c'est Nel ? s'étonna Maya.

— A fortiori si c'est Nel, ricana Wan.

— Chouette ! Déjà un de moins ! s'exclama Maya avec enthousiasme.

— Désolé, Maya, mais tu ne joues pas non plus. Tu as une jambe blessée, fit Bregan en désignant la cuisse de la louve.

— Je vais bien ! protesta Maya. Je n'ai reçu qu'une balle !

— Mais tu étais sous forme humaine à ce moment-là. Tu crois que je ne t'ai pas vue boiter ? répliqua Bregan. On ne sait pas ce qu'on va trouver sur les terres mortes. Dans quelques jours, tu auras complètement cicatrisé et tu seras au mieux de ta forme, mais là…

— Bon alors j'imagine qu'il ne reste que Cléa et moi, fit Cook en cachant partiellement deux bouts d'herbe dans sa main.

Cléa lui jeta un regard soupçonneux.

— Tu ne triches pas, hein ?

Cook écarquilla les yeux avec un air si innocent que Bregan dut se pincer les lèvres pour ne pas rire.

— Qui, moi ? Non, jamais !

19

Duncan et ses hommes avaient rajouté du bois dans le feu au fur et à mesure que les ténèbres se déployaient autour d'eux. Sans vouloir se l'avouer, l'obscurité de la forêt les oppressait, les terrifiait, comme si celle-ci était une entité en soi. Comme si elle était vivante. Tous regardaient le feu et se réchauffaient à sa lumière pour éviter de trembler. Aucun d'entre eux ne parlait. Quelque part à l'est, un oiseau de nuit poussa le cri le plus solitaire qu'ils aient jamais entendu.

— Ils devraient être revenus depuis longtemps, c'est pas normal, fit un homme au teint clair et au visage émacié.

Duncan poussa un soupir. La dernière fois qu'il l'avait traversée, c'était en plein jour et elle ressemblait à n'importe quelle forêt. Elle était un peu sèche et manquait juste de bosquets touffus, de feuilles et d'herbe verte, comme c'était généralement le cas au sud, mais elle paraissait normale. Ce qui n'était plus vrai à présent. Non, à présent, elle le terrifiait et le simple fait de la contempler à la faveur de la nuit faisait étrangement accélérer les battements de son cœur.

— On partira à leur recherche demain quand il fera jour, déclara-t-il.

Syph et Damian, les deux meilleurs chasseurs de la troupe, étaient partis depuis des heures. Plusieurs hommes avaient jeté un œil aux alentours et les avaient appelés durant un bon moment, mais sans succès.

— Ils sont peut-être blessés ou perdus, remarqua un homme au visage émacié.

— Si tu veux aller les chercher, on ne t'en empêchera pas, répondit un gros homme au visage poupon en évitant son regard.

Tous sentaient que quelque chose n'était pas normal et que la peur qu'ils ressentaient était probablement ridicule. Mais il y avait une partie de leur cerveau, la partie qu'on appelait instinct, cette partie qui avait permis à l'espèce humaine de survivre aussi longtemps, qui leur hurlait qu'ils avaient raison d'avoir peur et de ne pas bouger.

— Mais s'ils sont perdus…, insista l'homme au visage émacié.

Le gros homme au visage poupon secoua la tête :

— Syph et Damian sont des pisteurs. Ils ne peuvent pas plus se perdre en forêt que toi dans ta propre demeure.

*

La « bête » épiait les bipèdes de ses yeux perçants. Les humains avaient envahi son sanctuaire. Ils avaient brûlé des morceaux de sa forêt, piétiné son sol, posé des pièges et ils avaient blessé plusieurs animaux. Ils n'avaient aucun respect pour la magie qui habitait cet endroit merveilleux. Ils étaient comme des parasites, méchants et vicieux. Et s'il les laissait faire, s'il ne les tuait pas, s'il ne les chassait pas, ils formeraient bientôt une colonie, une colonie de parasites destructeurs qui dévoreraient la végétation, les animaux et la vie de la forêt. Oui, s'il ne les éliminait pas, d'autres viendraient, et alors c'en serait fini.

Avançant d'abord doucement vers le campement, il se mit à courir, le sol tremblant sous ses pattes, en ouvrant la gueule. Il arracha la tête du premier humain qui se tenait sur sa route, puis eut le temps de passer au deuxième avant que les bipèdes ne réagissent.

— Vos fusils ! Vite ! hurla Duncan en saisissant son arme.

Le monstre était gigantesque, terrifiant, et il ne ressemblait à aucun animal connu. Pas même à un Yokaï. Une écume jaunâtre s'échappait de sa gueule. Ses yeux luisaient de fièvre et de démence. Son corps était recouvert d'écailles noires, à l'exception de sa tête, qui ressemblait à celle d'un gros lézard. Un lézard avec des cornes droites et torsadées sur le front.

Et des crocs aussi longs que la lame d'une épée s'échappaient de sa mâchoire.

— Ahhhh ! Aidez-moi !!! hurla un homme tandis que la bête lui fonçait dessus.

Duncan et ses compagnons tirèrent sur le démon encore et encore. Le monstre poussa un rugissement de protestation mais ne recula pas pour autant – au contraire, il semblait plus enragé que jamais.

— Bon sang mais c'est quoi cette chose !!!? hurla l'homme au visage poupon.

— Les balles ne lui font aucun effet ! cria un autre, le regard épouvanté.

— Les chevaux ! Fuyez ! Vite ! ordonna Duncan.

L'instant d'après, tous les hommes encore valides s'enfuyaient sur leurs montures, la trouille au ventre et le cœur prêt à exploser dans leur poitrine, aussi vite que s'ils étaient poursuivis par le diable en personne.

*

Le jour avait dévoré la nuit. Duncan, ébloui par les premiers rayons du soleil, plissait les yeux en regardant ses hommes. La moitié. Il en avait perdu la moitié. Et ceux qui avaient échappé au monstre avaient le regard hanté. Leurs vêtements tachés du sang de leurs camarades, ils ne parlaient ni ne pleuraient. Ils restaient là, assis sur leurs chevaux, à écouter sans bouger les cris et les gémissements qui s'élevaient encore de la forêt.

— Ne restons pas là, allons-y, déclara Duncan.

Hagards, sonnés, aucun de ses compagnons ne bougea.

— J'ai dit : on y va. On vient d'entrer sur les terres mortes, inutile de s'attarder, fit-il en frappant du talon le flanc de son cheval.

20

Bregan avait aidé Cook à grimper sur le dos de Nel, puis il avait réglé les nœuds qui allaient lui servir d'étrier en le gavant de paroles rassurantes. Mais ça n'avait pas empêché le Taïgan de trembler de peur lorsque la Rapaï s'était envolée. La jeune aigle était si grande et si puissante qu'elle avait atteint le ciel en seulement quelques battements d'ailes, sans que le poids combiné de Bregan et de Cook ne semble la gêner. Au contraire, elle irradiait littéralement de joie depuis qu'elle avait retrouvé le firmament et sa liberté. Et les deux tigres ne redoutaient même plus de s'écraser tellement l'aigle semblait se jouer de la pesanteur avec facilité.

— C'est merveilleux, fit Cook en se penchant vers Bregan.

Ce dernier acquiesça tout en regardant l'aube se lever et les magnifiques paysages des terres neutres défiler sous la lumière rosée du petit matin. Tout paraissait minuscule vu d'en haut. Minuscule et incroyablement beau.

— Je comprends maintenant pourquoi tu aimes tant voler, fit Bregan en se rapprochant de l'encolure de Nel. Si j'étais toi, je crois que je n'aurais plus jamais envie de me poser.

Nel ne pouvait pas répondre mais elle approuva intérieurement. Une partie d'elle, peut-être la plus importante, détestait sa forme humaine et les limites qu'elle lui imposait. Elle voulait rester aigle et ne plus jamais cesser de voler. Et il était probable qu'un jour, dans pas si longtemps, elle finirait par céder à ce désir et par abandonner ce qu'il lui restait d'humanité.

*

Wan marchait d'un air pensif sur le petit chemin qui séparait deux champs. Peu avant de partir avec Nel, Bregan l'avait averti qu'il le tuerait si quoi que ce soit arrivait à Maya durant son absence. Wan n'avait pas été surpris ni même impressionné par les menaces du Taïgan : il savait à quel point il était attaché à Maya, mais il devait reconnaître que ça l'avait agacé de voir le tigre se comporter comme si la Lupaï lui appartenait. La louve n'était à personne. La louve n'appartenait même plus à son clan. Et elle était bien assez grande et forte pour se défendre. Du moins, la plupart du temps.

— Six jours, il va nous falloir six jours alors que les autres y seront en seulement deux jours, grommela Maya.

La louve était terriblement déçue. Elle ne comprenait pas que Bregan ait osé partir sans elle. Et elle se sentait terriblement frustrée.

— Quoi ? Tu as peur de louper la bagarre ? plaisanta Cléa.

— Non, enfin oui, mais… ils ne sont que trois et on n'a aucune idée du nombre d'hommes qu'ils devront affronter.

Wan laissa échapper un petit son dubitatif.

— Hum…

— Quoi ? Tu n'es pas de mon avis ? fit Maya.

— Bregan pourrait décimer une armée entière à lui tout seul, de quoi as-tu peur ? demanda le Serpaï.

— Je n'ai pas peur. Je sais qu'il peut se débrouiller, c'est juste que…

— … que tu es inquiète pour lui, termina Wan en la fixant si intensément qu'elle se mit à rougir.

— Non, enfin si, mais…

— Maya, je sais que tu vas me détester pour ce que je vais te dire, mais Bregan n'est pas un loup, c'est un Taïgan, affirma Wan.

— Inutile de le lui rappeler, Serpaï ! Elle le sait, intervint soudain Cléa.

— Alors pourquoi ai-je l'impression contraire ? fit Wan en continuant à observer les réactions de Maya.

— Depuis quand est-ce que tu t'intéresses aux histoires de cœur, toi ? ricana Cléa.

Bonne question, songea Wan. Lui non plus ne voyait pas pourquoi la relation de Bregan et Maya le contrariait. Cette histoire entre la Lupaï et le Taïgan était ridicule et inappropriée bien sûr, mais il aurait dû s'en moquer et la traiter avec l'indifférence et le mépris que toutes les niaiseries sentimentales lui inspiraient d'habitude.

— Je ne m'intéresse pas aux histoires de cœur, mais aux faiblesses de mes ennemis, rétorqua-t-il.

— Maya n'est en aucun cas une « faiblesse », grogna Cléa en lui décochant un regard assassin.

Wan esquissa un rictus.

— Elle est celle de Bregan.

— Ce n'est pas ce que tu crois. Il n'y a rien entre nous, soupira Maya.

— Alors pourquoi laisses-tu ce Taïgan te traiter comme l'une de ses nombreuses petites amies ? demanda Wan d'un ton railleur avant d'accélérer le pas.

Maya ne put s'empêcher de pâlir en entendant Wan dire ce qu'elle savait déjà : à savoir que contrairement aux jeunes loups, les jeunes tigres, eux, n'étaient absolument pas fidèles et cumulaient les conquêtes.

— Je déteste ce Serpaï, je le déteste vraiment ! murmura Cléa à Maya dès que Wan se fut suffisamment éloigné.

— Oui, mais il a raison. Je ne devrais pas laisser Bregan dormir près de moi ou me protéger comme si j'étais l'une des jeunes tigresses qu'il fréquente. Ce n'est pas bien, affirma Maya.

Depuis leurs retrouvailles, Bregan n'avait pas lâché Maya d'une semelle. Il avait marché à ses côtés, avait dormi à ses côtés et avait même mangé à ses côtés.

— Mais vous ne faites rien de mal.

Maya eut un sourire triste.

— Ce n'est pas aussi simple, et tu le sais.

— Qu'est-ce que tu comptes faire ?

— Prendre mes distances. De toute façon, je ne suis pas une Taïgan et Bregan n'est pas des nôtres.

Cléa opina puis, voulant lui remonter le moral, elle lui donna un coup de coude.

— Eh ! Ça te dirait d'aller courir dans les champs ?

— Mais Bregan a dit qu'on ne devait pas se transformer…

Cléa eut un sourire espiègle.

— Comme tu viens de le dire : tu n'es pas une Taïgan. Rien ne te force à lui obéir.

— Non, c'est vrai, reconnut Maya du bout des lèvres.

— Alors on peut changer et aller se dégourdir les pattes ? Qu'est-ce que t'en dis, hein ? Ça te tente ? demanda Cléa.

— À condition de rester loin des zones habitées, répondit Maya.

— Marché conclu, lança Cléa avant d'entendre Wan soudain s'esclaffer.

— Si je comprends bien : on mute ?

Cléa se mordit les lèvres et acquiesça.

— Le voyage sera beaucoup plus rapide.

Le Serpaï, les yeux luisant d'amusement, opina.

— Et plus distrayant.

21

Le soir même, sur les terres des Taïgans…

Assise dans son lit, Léna réfléchissait. Elle allait combattre Vryr dans l'arène d'ici quelques heures. Et pour la première fois, elle se demandait si elle avait fait le bon choix. Durant toute son existence, elle avait eu pour principe de ne jamais plier le genou devant personne et ça lui avait toujours réussi, mais une petite voix dans sa tête lui chuchotait qu'elle était peut-être allée trop loin cette fois-ci. Oh, pas à cause des maigres performances au combat de Vryr, elle savait qu'elle n'en ferait qu'une bouchée, mais à cause de l'avertissement de maître Typhon. Le vieux Taïgan ne parlait jamais à la légère et elle se demandait jusqu'où le Conseil des tigres était prêt à aller pour l'empêcher de tuer Vryr.

Dégageant ses jambes de dessous la couverture, elle se coucha sur le côté et ferma les yeux. Elle commençait à s'assoupir lorsqu'elle entendit soudain le bruit d'une fenêtre brisée. Le corps traversé par une bouffée d'adrénaline, elle bondit hors de son lit, se précipita sur le palier et huma l'air : cinq, non, six Taïgans venaient de s'introduire discrètement dans sa maison. « Mika ! » songea-t-elle aussitôt en se précipitant dans la chambre de son fils.

— Maman ? fit-il en ouvrant les yeux tandis qu'elle le secouait.

— Sauve-toi ! Vite ! fit-elle en ouvrant la fenêtre.

— Mais… mais maman…

— Ces hommes sont venus pour nous tuer alors obéis et fais ce que je te dis ! Cours ! Cours et fuis la terre des tigres aussi vite que tu le pourras !

*

Avec sa bedaine, sa calvitie formant un cercle au-dessus de son crâne et ses tempes grisonnantes, Vryr, le futur roi des tigres, n'était ni charismatique ni impressionnant, ce qui convenait parfaitement à maître Typhon ainsi qu'aux membres les plus influents du Conseil. Ces derniers n'avaient, en réalité, nullement l'intention de laisser ce pantin inconsistant gouverner. Ils désiraient simplement le faire couronner roi et continuer dans l'ombre à diriger le clan des Taïgans.

— Combien d'hommes lui as-tu envoyé ?

— Six. Je lui ai envoyé six hommes. Tous d'excellents combattants.

Les épaules de Vryr se détendirent légèrement. Léna était puissante, mais à elle seule elle ne pouvait affronter six guerriers en même temps.

— Tu leur as dit de faire disparaitre le corps ?

— Évidemment.

— Et pour le petit ?

— Mes hommes doivent le ramener.

Vryr passa du blanc au rouge.

— Le ramener ? Non ! Il doit mourir, Typhon. Ils doivent tous mourir !

Maître Typhon secoua la tête.

— Aucun des guerriers que j'ai envoyé tuer Léna ne s'abaissera à tuer un enfant de cet âge.

Vryr fronça les sourcils. Les tigres étaient les plus fiers et les plus honorables de tous les Yokaïs. Chez eux, l'honneur n'était pas un vain mot. Il comprenait donc qu'en dépit de ce qu'ils venaient de faire, les hommes de main de Typhon respectent certains principes. Mais, malheureusement pour Mika, Vryr, lui, n'en avait aucun.

— Alors tu leur diras de me donner le petit ! Je me chargerai de lui.

— Entendu, acquiesça maître Typhon en cachant la répugnance que Vryr lui inspirait.

La mort de Mika était nécessaire. Maître Typhon en était parfaitement conscient. Mais contrairement à Vryr, il n'éprouvait aucun plaisir à l'idée de devoir tuer un enfant.

— Et pour Bregan ? demanda Vryr.

— Si Bregan revient, il sera jugé pour ses crimes, répondit laconiquement maître Typhon.

Vryr émit une sorte de gloussement bizarre.

— Quand je pense que tu soutenais ce chacal il n'y a pas encore si longtemps !

— J'ai pensé et je pense encore qu'il ferait un grand roi, reconnut maître Typhon.

— Un grand roi !? Ce meurtrier !!! s'exclama Vryr au bord de l'apoplexie.

— Bregan est intelligent, fort et il inspire le respect, donc oui, je pense qu'il aurait pu être un grand souverain s'il n'avait pas décidé de n'en faire qu'à sa tête et de passer outre nos lois et nos traditions, affirma maître Typhon.

— Il a tué mon fils ! se récria Vryr.

Le Taïgan avait tellement de colère dans la voix qu'elle réveillait son pouvoir et faisait grimper la chaleur de la pièce. Mais maître Typhon n'en semblait pas troublé : il restait impassible et calme, et agissait comme si rien de ce que pouvait dire ou faire Vryr n'était en mesure de l'inquiéter.

— J'ai mené moi-même l'enquête et je doute qu'il ait quoi que ce soit à voir avec la mort de Sirus.

— Quoi !!!?

— Les éléments que nous avons trouvés prouvent que ton fils a poursuivi Mika sur le territoire des Serpaïs et que ce sont eux qui l'ont tué, expliqua-t-il d'un ton neutre.

— Je ne te crois pas !

Maître Typhon haussa les épaules et répondit d'un ton cynique :

— Peu importe ce que tu crois ou ce que je crois. Ce qui compte, c'est que tous les autres pensent Bregan coupable.

*

Mika, dans un état second, avait couru longtemps, puis il s'était caché dans le terrier d'un blaireau en espérant que la pluie qui venait de s'arrêter avait effacé les traces qu'il avait laissées derrière lui. Évidemment, ce n'était pas la meilleure des cachettes : envahir le repaire d'une bête possédant un aussi mauvais caractère pouvait s'avérer périlleux, mais il s'était blessé à une patte en s'enfuyant et il lui fallait à tout prix trouver un endroit où se reposer avant d'entrer sur le territoire des loups. Ou plutôt de trouver le courage d'y entrer. Mika n'ignorait pas à quel point se rendre chez les canidés était risqué. Il avait entendu sa mère dire que Bregan avait fait une grosse bêtise et qu'à cause de lui les Lupaïs étaient furieux contre les Taïgans.

Il comprenait donc que ce n'était pas le meilleur moment d'aller demander à Maya de l'aider, mais il n'avait pas le choix : la terre des Rapaïs était impossible à atteindre, celle des Serpaïs était bien trop dangereuse – il n'avait aucune envie de se faire manger par Miu et Dji – et la terre des hommes était remplie d'ennemis.

*

— Elle est morte, déclara Barh, un Taïgan au crâne rasé et aux yeux noirs comme la nuit.

— Bien, répondit maître Typhon avec un petit pincement au cœur.

Sur les six guerriers qu'il avait envoyé tuer Léna, trois seulement avaient survécu. La tigresse s'était, comme toujours, battue avec force, intelligence et courage. Et en dépit de leurs divergences, il savait déjà qu'elle allait beaucoup lui manquer.

— Et l'enfant ? demanda Vryr. Où est l'enfant ?

— Nous l'ignorons. Il s'est échappé durant le combat, répondit Barh.

— Comment ça il s'est échappé ? Trouvez-le ! hurla Vryr, les yeux exorbités.

— Il a plu et il fait encore nuit. Il sera difficile de retrouver sa trace, objecta Barh.

— Cherchez ! Ce n'est tout de même pas si compliqué ! Fouillez les maisons ! Réveillez et interrogez tout le monde ! s'égosilla Vryr.

— C'est hors de question, déclara soudain maître Typhon d'un ton calme et ferme.

Vryr se tourna immédiatement vers lui.

— Quoi ?

— La version officielle est que Léna a eu peur de se battre contre toi et qu'elle s'est enfuie. Que crois-tu que les Taïgans penseront en voyant Barh, Temon et Bek traquer son petit en pleine nuit ? demanda maître Typhon en le dévisageant.

— Ils penseront ce qu'ils voudront, je m'en fiche !

— Moi pas. Et le Conseil encore moins, claqua maître Typhon d'un ton autoritaire.

— Alors quoi ? On laisse Mika courir et raconter à tout le monde ce qu'il est véritablement arrivé à sa mère ?

— Non. Mais on le recherche discrètement, répliqua-t-il avant de se tourner vers Barh : Va chercher Assim.

Vryr poussa un soupir de soulagement. Assim était le traqueur des Taïgans. Son flair était incomparable. Tout comme ses talents de tueur. Si le Taïgan acceptait de prendre Mika en chasse, le gamin était d'ores et déjà mort.

— Excellente idée, excellente idée, va chercher Assim, Barh, déclara-t-il en souriant.

Barh lui décocha un regard de mépris. En dépit du sang royal qui coulait dans ses veines, il n'éprouvait aucun respect pour Vryr. Il le trouvait inconsistant, lâche et ridicule. Se tournant ostensiblement vers maître Typhon, il s'inclina.

— Oui, maître Typhon.

Puis, ignorant ostensiblement Vryr, il partit quérir le traqueur des Taïgans.

*

Mika, qui avait repris forme humaine durant l'heure où il s'était endormi, tourna la tête de gauche à droite pour sonder l'obscurité.

Il avait conscience de la précarité de sa situation et savait qu'il ne pourrait pas longtemps rester caché dans ce terrier, mais il fallait être prudent, agir lentement. À l'extérieur, il ne décelait rien. Ni gardes-frontières. Ni hommes à sa poursuite. Il écoutait aussi, mais ne percevait que des bruits normaux : des cris d'oiseaux de nuit, des vrombissements légers d'insectes, des grattements de pattes d'un mulot. Il avança un pied, le posa sur le sol, puis il se mit à courir vers la forêt. La terre des loups était à sa portée. Il lui suffisait d'y pénétrer et tout serait terminé. Puisant dans ce qu'il lui restait de volonté, il accéléra.

22

Au début, rien ne différenciait les paysages des terres maudites de ceux situés au sud de la terre des hommes. Mais plus Duncan et ses hommes s'étaient éloignés de la frontière qui séparait les deux contrées, plus ils avaient vu la végétation changer et se raréfier. Après à peine un jour de chevauchée, le sol était devenu sec, craquelé et sablonneux. Des nuages de poussière se soulevaient au passage des chevaux et, même s'il était encore tôt, il faisait déjà très chaud.

— Les chevaux ont besoin de boire. Je doute qu'ils puissent continuer longtemps à ce rythme si on ne leur donne pas d'eau, avertit Amar en se redressant sur sa selle.

Dix cavaliers, un chariot et douze chevaux, c'était tout ce qu'il restait de leur petite troupe. Ils ne pouvaient plus, désormais, se permettre de perdre un seul de leurs membres. Pas s'ils voulaient pouvoir mener à bien leur mission.

— Il n'y a pas d'eau ici, dit Duncan.

— Même pas un petit lac ou une rivière ?

Duncan secoua la tête.

— Non.

Amar poussa un soupir. Duncan leur avait déjà parlé de la sécheresse qui régnait sur les terres maudites, mais il n'avait jamais imaginé qu'il puisse y faire une telle chaleur.

— Amar, regarde ! fit le cavalier qui chevauchait à sa gauche en pointant son doigt vers le haut.

Amar rejeta sa tête en arrière. Des faucons, charognards comme la plupart des créatures sauvages de ces terres maudites, volaient au-dessus des chevaux en formant de petites taches sombres sur le fond azur du ciel.

— Elle est encore loin ?

— À une journée de cheval, répondit Duncan.

Il ne connaissait pas le nom de la cité enfouie. Il savait simplement qu'elle avait été construite il y a très longtemps par le vieux peuple. Il ignorait pourquoi elle avait été partiellement détruite ou ce qu'il était arrivé à ceux qui y vivaient autrefois. La seule chose qu'il savait, c'était qu'elle finissait toujours par tuer ceux qui découvraient ses douloureux et terrifiants secrets.

— Bien. Je suis curieux de découvrir si les histoires qu'on raconte à son sujet sont vraies, fit Amar les yeux luisant d'excitation.

Duncan haussa les sourcils.

— Des histoires ? Quelles histoires ?

— On dit que la cité enfouie regorge de trésors prodigieux…

Duncan se mit à rire.

— Si c'est ce que tu cherches, je crois que tu risques d'être déçu. La cité enfouie n'est pas une cité mais un tas de ruines… il ne reste pratiquement rien de ce qu'avait construit le vieux peuple.

Amar réprima une grimace.

— Tu en es certain ?

— Tu veux dire : suis-je sûr de ne pas avoir découvert de trésor ?

Amar rougit.

— Non... enfin oui, mais...

— Ces trésors dont tu parles, ne valent rien. Rien du tout. Les seules choses qui comptent vraiment en ce monde sont les terres fertiles, le bétail, le gibier et l'eau. Voilà les seules choses qui vaillent qu'on se batte pour elles.

Mais pour ça, songea Duncan, il va falloir nous libérer de nos chaînes. Il ne voulait plus que les hommes-bêtes régentent la vie des humains. Ni que ces derniers soient cantonnés dans de véritables prisons à ciel ouvert. Il voulait que les hommes retrouvent leur liberté et leur dignité. Et pour ça, il était prêt à sacrifier non seulement sa vie, mais aussi celle de tous ses compagnons.

— Tu crois qu'on gagnera la guerre ? demanda Amar avec une lueur inquiète dans les yeux.

— Si nous parvenons à faire ce pour quoi nous sommes venus, oui. Oui, je crois qu'on peut gagner la guerre, répondit Duncan d'un ton où transpirait son implacable détermination.

*

Le visage giflé par le vent, Bregan regardait les paysages du sud défiler sous les grandes ailes de l'aigle avec attention. Il n'y avait plus de villages, plus de villes, plus de champs de blé, plus de champs de maïs, seulement des petits bois de pinèdes, des champs d'oliviers, des vignes et quelques maisons isolées par ci par là.

— Je ne les vois pas, je ne vois aucun groupe d'humains, pas de cavaliers non plus, fit Cook en scrutant les chemins.

— Non, ils doivent déjà se trouver sur les terres mortes, avisa Bregan.

— Bregan ! Regarde ! C'est pas la forêt dont nous ont parlé les corbeaux ?

— Si, répondit Bregan. C'est elle. C'est celle qui sépare les terres des hommes des terres mortes.

— Nel, tu veux descendre et t'y reposer un peu ? On n'est plus très loin maintenant, nota Bregan.

Nel secoua la tête. Elle avait dormi deux heures et se sentait fatiguée, mais elle ne voulait pas perdre de temps. Pas alors que les humains se trouvaient de « l'autre côté » à fomenter on ne savait quoi.

— Elle ne veut pas se poser ? demanda Cook à Bregan, étonné.

— Visiblement pas.

— Tu sais quoi ? Cette gamine est encore pire que ta mère ! Elle ne lâche jamais ! râla Cook avant de soupirer et de regarder la forêt s'éloigner à regret.

23

Peu après être entré sur les terres des loups, Mika avait prudemment décidé de grimper à un arbre et d'attendre Maya à l'endroit où ils s'étaient rencontrés la première fois. Bregan lui avait expliqué que les loups faisaient toujours la même ronde, le petit Taïgan en avait donc déduit que la louve finirait bien par apparaître à un moment ou à un autre. Et comme le jour était déjà levé depuis au moins trois bonnes heures, il espérait qu'il n'aurait plus longtemps à patienter. D'autant que son ventre gargouillait et qu'il avait faim.

— Eh ! Je peux grimper là-haut avec toi ?

Mika tressaillit et baissa les yeux vers la fillette qui lui souriait.

— Euh…

— Ne me dis pas que je te fais peur…

— Non c'est pas ça, c'est juste que…

Il s'interrompit et descendit de l'arbre avec agilité.

— Wouah ! T'es doué ! fit-elle d'un ton admiratif avant de s'approcher de lui et de grimacer. Mais t'as une odeur bizarre…

— C'est parce que je suis un Taïgan, pas un loup, répondit Mika comme si c'était une évidence.

La petite recula aussitôt d'un bond en grognant.

— Un Taïgan ?

— Je m'appelle Mika…

La lueur de défiance qui luisait quelques secondes plus tôt dans les yeux de la fillette s'éteignit d'un seul coup.

— C'est toi Mika ? Ma grande sœur m'a beaucoup parlé de toi. Je m'appelle Hope ! fit-elle en lui souriant.

— Ta grande sœur ?

— Maya. Maya est ma sœur. Qu'est-ce que tu fais là ?

Les lèvres de Mika se mirent à trembler. Il n'avait pas pleuré depuis qu'il avait quitté la maison. Il avait tenu bon et s'était montré courageux. Mais là, face aux grands yeux clairs de Hope, il était sur le point de s'effondrer.

— Des méchants sont venus à la maison et maman m'a dit de courir. Alors j'ai couru, couru... et puis... je suis venu ici...

Hope fit une grimace ennuyée.

— Oui, mais c'est la terre des loups, t'as pas le droit d'être là. Si les grands te trouvent, ils vont crier très fort.

— Je sais, mais je dois parler à Maya.

Hope secoua la tête.

— C'est impossible. Elle est partie.

— Partie ?

Hope opina.

— À cause de ça, papa n'est pas content.

Des larmes commencèrent à perler dans les yeux de Mika.

— Mais elle va revenir ?

— Oui, mais j'ignore quand. Papa ne veut pas le dire.

Mika sentit son ventre se nouer et il explosa en sanglots. Hope se précipita aussitôt vers lui.

— Ne pleure pas, je peux peut-être t'aider, moi.

— Non, t'es trop petite, répondit Mika en sanglotant.

Hope se mordit les lèvres.

— Ces « méchants », tu crois qu'ils ont fait du mal à ta maman, c'est ça ?

Mika leva vers elle son visage couvert de larmes puis opina, la gorge trop serrée pour prononcer un seul mot.

— Des méchants ont fait du mal à ma maman à moi aussi, fit Hope en s'accroupissant près de Mika.

Ce dernier tourna la tête vers elle.

— C'est vrai ?

— Oui.

— Hope ? Hope, où es-tu ?

— Zut ! C'est papa, grimaça Hope. Cache-toi !

Mika se releva aussitôt et courut se dissimuler dans un bosquet.

— Qu'est-ce que tu fais aussi près de la frontière ? Tu ne devrais pas être là, c'est dangereux, gronda Jolan avant de sentir une odeur étrange.

Un Taïgan. Il ne sentait pas très fort, mais... il y avait un Taïgan dans les parages.

— Hope, viens, fit Jolan en plissant les yeux.

Hope s'approcha de lui et, d'un geste ferme, Jolan attira sa fille dans son dos puis se dirigea vers le bosquet où Mika s'était caché.

— Sors de là, petit ! grommela-t-il en voyant soudain de petites jambes dépasser.

Mika, penaud et les yeux rouges, sortit aussitôt. Jolan fronça les sourcils. La détresse contenue dans le regard du petit était telle qu'il ne put s'empêcher de demander :

— Que fais-tu ici ? Que t'est-il arrivé ?

— C'est à cause de sa maman, répondit Hope à la place de Mika. Des méchants ont fait du mal à sa maman.

— Ils sont venus chez moi et maman a dit que je devais partir et quitter la terre des tigres ! ajouta Mika en essuyant maladroitement son nez qui coulait.

Jolan fronça les sourcils. Si une Taïgan avait ordonné à son fils de quitter la terre des tigres, c'était que l'affaire était sérieuse et que le petit courait un si grave danger en restant près des siens qu'elle préférait encore risquer de le voir tomber aux mains d'un clan ennemi.

— Comment t'appelles-tu ? demanda Jolan.

— Mais papa, c'est Mika, l'ami de Maya ! fit Hope en souriant.

Jolan haussa les sourcils.

— Mika ? Tu es le fils de Léna ?

Il n'ajouta pas « et le frère de ce maudit Bregan », mais il le pensa si fort que ses yeux se mirent à luire de colère.

— Oui. Vous connaissez ma maman ?

Jolan hocha la tête.

— Elle… elle a dit que je devais partir, mais moi je ne veux pas, ajouta Mika.

Jolan prit un temps de réflexion. Léna était la femelle de l'ancien roi et la mère de l'héritier. Si l'enfant disait vrai, cela signifiait que le clan des tigres était en train de vivre une véritable révolution et que le petit courait un grave danger.

— Et moi je crois que tu ferais mieux d'écouter ta maman, répondit Jolan en secouant la tête.

Mika renifla. D'un côté, il voulait retourner chez lui et aller aider sa maman, mais d'un autre côté, il savait qu'elle serait très fâchée s'il lui désobéissait.

— Maya, elle va revenir bientôt ? demanda-t-il tandis que des larmes emplissaient de nouveau ses yeux.

Jolan soupira.

— Tu connais ma fille ?

— Oh oui ! Elle est très gentille, j'aime bien chasser avec elle ! Elle sait comment manger un lapin sans trop salir sa fourrure.

Jolan ne put s'empêcher de sourire.

— Dis, papa, on pourrait le garder avec nous, fit Hope. Comme ça, quand Maya reviendra, elle pourra l'aider.

Non, Maya ne reviendrait pas. Elle ne le pouvait pas. Plus maintenant. Jolan inspira profondément.

— Non, Hope. Tu connais les règles.

— Mais papa, si on lui dit de partir, les méchants risquent de lui faire du mal à lui aussi, non ?

Chasser le petit Taïgan de la terre des loups revenait à le condamner à mort. Jolan en était parfaitement conscient mais…

— Hope, Mika est un Taïgan. Nous n'avons pas le droit de nous immiscer dans les affaires des Taïgans, expliqua-t-il.

— Papa, s'il te plaît. On ne va pas le laisser tout seul…

— Hope, ça suffit !

— Mais papa, regarde-le ! Il est tout triste ! fit Hope en montrant du doigt Mika qui pleurait accroupi, la tête entre ses bras.

Jolan regarda Mika puis poussa un grondement de frustration. Si Hope n'avait pas été là, avec lui, il aurait purement et simplement reconduit le petit à la frontière et laissé les Taïgans se débrouiller entre eux. Mais malheureusement, sa fille était là et il ne voulait surtout pas lui infliger plus de peine qu'elle n'en ressentait déjà depuis le départ de Maya.

— Bon, mais juste pour un petit moment, d'accord ?

— D'accord ! répondit Hope avec un sourire extatique en voyant son père se pencher vers Mika.

24

Les serpents ne riaient pas, c'était bien connu, mais Wan n'avait pu s'empêcher de siffler de rire en voyant les deux louves qui étaient en train de courir, chuter et dévaler la pente de la colline comme deux grosses pierres rondes, poilues et couinantes.

— Sale Serpaï, je ne vois pas ce que ça a de drôle ! grogna Cléa en se relevant difficilement sur ses pattes.

Maya tourna la tête vers le serpent géant puis découvrit ses crocs. Wan ne pouvait peut-être pas les comprendre sous cette forme, mais gronder était largement suffisant pour informer le reptile de son mécontentement.

— Regarde ! Il recommence ! grogna de nouveau Cléa en entendant Wan siffler de plus belle.

— Pff... ignore-le, c'est ce qu'on a de mieux à faire, répondit Cléa en léchant une de ses pattes meurtries.

Wan secoua la tête puis se remit à ramper. Ils avaient parcouru beaucoup de chemin en très peu de temps depuis qu'ils avaient entrepris de voyager sous cette forme. Et même s'ils avaient entendu ici et là quelques cris et hurlements de terreur quand ils avaient emprunté des routes plus fréquentées, aucun humain ne leur avait tiré dessus ou n'avait cherché à les arrêter. Non, les hommes avaient laissé les animaux géants continuer à parcourir des kilomètres et des kilomètres en direction des terres du sud comme si de rien n'était.

— Eh ! Serpaï, on sait que t'aimes les températures élevées et que t'as pas peur des coups de soleil, mais nous on crève de chaud, tu ne crois pas qu'on pourrait s'arrêter pour boire ? l'interpella Cléa en grognant.

— À quoi est-ce que ça sert de lui parler ? Tu sais bien qu'il ne peut pas te comprendre, gronda Maya.

En réalité, la louve n'était pas certaine que Wan puisse les comprendre de manière générale de toute façon. Il était né Yokaï, mais il se comportait de bien des façons plus comme un humain que comme l'un des leurs. Car comme les bipèdes, il était égoïste, il ne pensait qu'à ses propres désirs, et surtout il n'avait aucune conception du monde. Aucun idéal, ni respect de l'héritage que leur avait laissé la créatrice, pas plus que des tâches et des devoirs à accomplir.

— Bon alors, qu'est-ce qu'on fait ? demanda Cléa.

Maya examina les alentours. Les corbeaux avaient mystérieusement disparu depuis qu'ils avaient muté et, sans Nel, elle n'aurait de toute manière pas su comment leur demander de les guider vers un lac, un puits ou une rivière sur ces terres que le soleil transformait en fournaise.

— Je sais pas, on pourrait s'arrêter dans un village.

— On va encore devoir voler des vêtements ? couina Cléa.

Contrairement aux humains, les Yokaïs ne voyaient pas la différence entre un corps couvert de poils, de plumes ou d'écailles et un corps qui en était dépourvu. Ils ne s'habillaient qu'en cas de grand froid ou pour ne pas embarrasser les humains que, pour une raison inexplicable, leur nudité choquait.

Maya poussa un petit grognement.

— D'après toi ?

— Mais il fait trop chaud pour s'habiller ! grogna Cléa.

— Chaud ou pas, les humains ne se promènent pas tout nus.

— Ouais ben ils devraient ! soupira Cléa.

Maya ignora ses geignements et jeta un œil autour d'elle.

— Eh ! Regarde ! je crois qu'il y a des maisons ! fit Maya en apercevant une rangée de toits au loin.

— Je te préviens : je refuse de mettre une de leurs horribles robes !

— Eh ben tu voleras un pantalon ! répliqua Maya avant de se mettre à courir.

*

L'homme regardait d'un air admiratif les deux jeunes filles qui remplissaient leurs gourdes à la fontaine. Elles étaient habillées étrangement bien sûr, il était même certain que l'une d'entre elles portait une chemise et un pantalon d'homme, mais elles étaient ravissantes. Avec les sombres événements qui se préparaient, de si fragiles et délicates créatures avaient peu de chance de survivre. En tout cas pas sans des pères ou des frères pour les protéger des monstres. Ces maudits Yokaïs.

— Eh petites, vous ne devriez pas traîner seules par ici ! Vous n'êtes pas du coin, je me trompe ?

Maya cessa de boire puis se tourna vers l'homme qui venait de les interpeller. Grand, large d'épaules, le teint rougeâtre, de la farine sur le tablier, il devait être boulanger ou meunier.

— Non, nous ne sommes pas d'ici, répondit Maya.

— Alors rentrez vite chez vous, allez retrouver votre famille ! Les jeunes filles comme vous ne devraient pas voyager seules, surtout par les temps qui courent !

Cléa haussa les sourcils.

— Les temps qui courent ?

— Quoi ? Vous ne savez pas que les monstres sont en train de nous attaquer ?

— Les monstres ?

— Les Yokaïs ! Des gens du village de Garmeth, bien plus haut dans le nord, ont croisé des loups et des serpents géants sur la route. Il paraît qu'ils auraient dévoré des centaines de femmes et d'enfants.

Maya recracha l'eau qu'elle était en train de boire.

— Hein ?

— Comme je vous le dis ! fit l'homme.

Cléa ne put retenir un éclat de rire.

— Des centaines de femmes et d'enfants ? Vraiment ?

— Vraiment. C'est pourquoi il faut être prudent et sortir le moins possible de chez soi, répondit l'homme en opinant avec véhémence.

— Excellent conseil. On y pensera à l'avenir, fit Maya, amusée.

L'homme s'éloigna et puis, semblant changer d'avis, il fit demi-tour et revint vers elles.

— Ah oui, je ne sais pas où vous allez mais si vous continuez vers le sud, ne vous approchez pas de la forêt de la bête, surtout !

Maya haussa les sourcils.

— La forêt de la bête ?

— Oui, celle qui longe les terres mortes. Restez loin d'elle et n'y pénétrez sous aucun prétexte !

Cléa eut un petit sourire en coin.

— Pourquoi ? Cette bête-là aussi mange les femmes et les enfants ?

— Oh ça pour sûr ! s'exclama-t-il le visage grave, une lueur de peur dans les yeux.

Puis il partit pour de bon.

— Les humains sont vraiment bizarres, soupira Cléa, tu ne trouves pas ?

Maya trouvait surtout que les bipèdes avaient une sacrée imagination : des centaines de femmes et d'enfants ? Non mais pour qui les prenaient-ils ? Pour des ogres ?

— Oh ça oui, pas de doute, acquiesça Maya. C'était quoi cette histoire de forêt de la bête ?

— Aucune idée. Mais à mon avis, c'est aussi sérieux que quand il disait qu'on avait dévoré des centaines de femmes et d'enfants ! répondit Cléa en riant.

— Ah ça y est, l'humain vous a enfin laissées tranquilles ? C'est pas trop tôt ! s'écria Wan en les rejoignant tout à coup.

Puis, n'y tenant plus, il passa sa tête sous l'eau de la fontaine et but à grandes gorgées.

*

Assis à la table de la cuisine, Mika dévorait un énorme morceau de sanglier tandis que Hope le regardait faire avec des yeux exorbités.

— Tu vas vraiment tout manger ?

Mika continua à manger tout en acquiesçant.

— Mais tu vas être malade ! s'alarma Hope.

Jolan se mit à rire.

— Les petits Taïgans ont un appétit féroce !

— Alors ils doivent sûrement beaucoup chasser, observa Hope d'un ton convaincu.

— Je peux entrer ? fit soudain une voix provenant de la porte d'entrée.

Jolan plissa les yeux et hurla depuis sa chaise :

— Non !

Malak ignora sa réponse et entra dans la cuisine, un sourire aux lèvres.

— Il paraît que tu as un invité ?

Le regard du chaman s'attarda sur Mika et son sourire s'élargit.

— Bonjour, mon garçon. Je m'appelle Malak. Je suis le chaman de la meute.

Jolan gronda, mais le son menaçant qui s'échappait de sa poitrine n'effraya pas le moins du monde le chaman qui s'assit autour de la table comme si de rien n'était.

— Tu avais faim à ce que je vois ?

— Oh oui alors ! confirma Mika.

— Il n'arrête pas de manger et moi j'attends, fit Hope.

Malak regarda Hope, amusé.

— Tu attends quoi ?

Une lueur malicieuse s'alluma dans les yeux de la fillette.

— J'attends que son ventre éclate.

Un sourire étira de nouveau les lèvres du chaman.

— Je vois.

Il tourna ensuite la tête vers Mika.

— La terre des loups regorge de lapins et de sangliers, tu devrais beaucoup te plaire ici.

Mika cessa soudain de mâcher. Il ne pouvait pas rester chez les loups. Il devait savoir ce qui était arrivé à maman. Et puis, le papa de Hope avait dit qu'il ne pouvait rester qu'un petit moment.

— Oh oui ! on pourrait chasser tous les deux ! s'écria Hope avec enthousiasme.

Jolan lui lança un regard sévère.

— Hope. Tu sais très bien que Mika ne peut pas rester.

— Mais papa… s'il se fait attraper par les méchants, ils vont lui faire du mal à lui aussi !

Malak posa un regard interrogateur sur Mika.

— Les méchants ? Et si tu me racontais tout ça, mon garçon… qu'en dis-tu ? On pourrait peut-être trouver une solution.

Mika cessa soudain de manger, dévisagea longuement le chaman, puis, après l'avoir jaugé, il hocha la tête et commença à lui raconter en détail ce qu'il s'était passé.

— Hum… tu as dû avoir très peur, commenta Malak avec compassion à la fin de son récit.

— Oh oui alors !

— Mais tu as fait ce qu'il fallait. Tu as été courageux. Je te félicite, fit Malak d'un ton bienveillant.

En entendant les compliments du loup, Mika ressentit à la fois de la fierté et de la gêne.

— J'ai eu très peur quand maman m'a dit de partir, avoua-t-il.

— Eh bien, je pense que ta maman serait contente de te savoir ici, en sécurité. Qu'en penses-tu ? fit Malak.

Mika hésita puis acquiesça :

— Oui. Je crois que oui.

— Dis-moi, Mika, connais-tu des gens qui pourraient t'aider ? Ton frère par exemple…

Jolan avait accepté de ramener Mika chez lui pour ne pas peiner Hope bien sûr, mais aussi dans l'espoir que l'enfant pourrait lui dire où se trouvait Bregan et par voie de conséquence : Maya.

Mika secoua la tête.

— Je ne sais pas où est mon frère.

— Non ?

— C'est pour ça que je voulais voir Maya. C'est mon amie et je voulais qu'elle m'aide.

— Maya s'est enfuie avec l'aigle, fit soudain Hope, mais elles vont bientôt revenir, j'en suis sûre.

— Nel ? Maya est avec Nel ? s'étonna Mika.

— Et aussi probablement avec ton frère et Wan, l'héritier des Serpaïs, compléta Malak.

Mika réfléchit puis dit :

— Ils sont sûrement partis à cause des corbeaux.

— Les corbeaux ? Quels corbeaux ? demanda Jolan.

— Nel a dit qu'elle allait devoir partir parce que les corbeaux lui ont raconté des choses très graves et qu'il fallait qu'elle s'en occupe, mais qu'elle jouerait avec moi quand elle reviendrait.

— Quel genre de choses ? Tu le sais ? demanda Jolan.

— Non. Mais je sais que c'est vrai parce que Nel ne ment jamais.

Malak et Jolan échangèrent un regard lourd de sous-entendus.

— Tu parles beaucoup avec Nel ?

— Elle vient souvent me voir, on joue tous les deux et elle m'emmène même voler avec elle, répondit Mika avec un sourire.

Jolan écarquilla les yeux. Ces enfants ne se contentaient pas de bousculer les règles, ils les piétinaient allègrement.

— Voler ?

— Oh la chance ! s'écria Hope. Moi aussi je veux aller voler avec l'aigle ! Dis, tu crois que tu pourrais lui demander de m'emmener moi aussi ?

Jolan passa une main sur son visage. Si les loups pouvaient avoir la migraine, cette discussion lui en aurait donné une à coup sûr.

— Hope, tu pourrais aller jouer avec Mika dehors quelques instants ? suggéra Malak en souriant à la fillette.

Une expression joyeuse s'afficha aussitôt sur le visage de Hope.

— Oh oui ! Tu viens, Mika ?

Ce dernier jeta un œil à son écuelle où restait un morceau de sanglier puis hocha la tête à regret.

— D'accord.

Une fois les enfants sortis, Malak se tourna vers Jolan.

— Que comptes-tu faire ?

— À quel propos ? fit Jolan en fronçant les sourcils.

— Le petit. Que comptes-tu faire de lui ?

— Je vais le reconduire sur les terres des Taïgans, répondit Jolan d'un air sombre.

Malak fronça les sourcils.

— Tu sais ce qu'il va lui arriver si…

— Je le sais, mais que veux-tu que je fasse ? grogna Jolan.

— On pourrait le garder ici quelque temps.

Jolan lui jeta un regard incrédule.

— Tu plaisantes ?

Malak secoua la tête.

— Les Taïgans ne savent probablement pas où il se trouve. Nous n'avons aucune raison de le leur livrer.

Jolan prit un temps de réflexion. Le Conseil n'allait certainement pas apprécier cette décision. Mais il devait reconnaître que l'idée de laisser tuer un enfant innocent lui déplaisait fortement.

— Comment crois-tu que va réagir le Conseil ?

Malak sourit. Depuis l'avertissement de Malak et ses menaces contre les membres du Conseil, ces derniers s'étaient curieusement radoucis. Avoir un chef de meute aussi puissant que Jolan n'était pas courant et la majorité d'entre eux étaient bien trop terrifiés pour oser l'affronter.

— Ils vont être furieux, grogner, gronder, mais ils ne prendront pas le risque de te contrarier à nouveau.

Jolan acquiesça tandis qu'une lueur soucieuse s'allumait dans son regard.

— Cette histoire de corbeaux… tu crois que c'est pour ça que Bregan, Wan et Nel sont venus chercher Maya ?

Malak réfléchit, puis acquiesça :

— C'est bien possible.

Jolan soupira.

— Dans quoi se sont-ils encore fourrés ?

— Bonne question, et qui mériterait qu'on s'y intéresse.

— Si je tombe sur ces sales gamins, je te jure que je vais leur faire passer une bonne fois pour toutes le goût de ce genre de plaisanteries…

Malak écarquilla les yeux. Jolan venait vraiment de traiter les héritiers des clans tigre, aigle et serpent de « sales gamins » ?

— Quoi ? fit Jolan en remarquant l'expression du chaman.

— Rien, c'est juste que je crois que tu as oublié à qui tu avais affaire. Je ne sais pas ce qu'il en est pour la petite aigle, mais Bregan et Wan ne sont pas des gosses un peu trop turbulents : ce sont des tueurs, Jolan.

Ce dernier haussa les sourcils.

— Et alors ? Tu crois que ça va m'empêcher de leur coller une raclée ?

Malak sourit. Non, de toute évidence, non.

— J'ai hâte de voir ça.

*

— Tu en es certain ? demanda maître Typhon.

Assim, le traqueur du clan Taïgan, un guerrier aux larges épaules et aux yeux clairs, hocha la tête.

— La piste du petit s'arrête à la frontière de la terre des loups.

— Ce n'est pas possible, on doit le récupérer ! On doit exiger une rencontre avec les canidés ! feula Vryr.

Maître Typhon fronça les sourcils.

— Pour leur dire quoi ?

— Mika est à nous, pas à eux, ils doivent…

— Ils ne doivent rien du tout ! répliqua sèchement maître Typhon. Si l'enfant s'est introduit sur le territoire des Lupaïs, c'est aux loups et à eux seuls de décider de ce qu'ils veulent faire de lui.

Vryr poussa un feulement de protestation.

— C'est un prince ! Il appartient à la famille royale, ils n'ont pas le droit de le garder !

— Peu importe qui il est, il est sur leurs terres ! objecta maître Typhon, excédé.

Assim, le visage impénétrable, sourit intérieurement en voyant le masque de patience et de calme qu'affichait généralement maître Typhon fondre peu à peu devant les inepties proférées par Vryr.

— Alors ordonne-lui de trouver un moyen ! lança Vryr en désignant Assim du doigt.

Maître Typhon reprit :

— Un moyen ?

— Assim est non seulement notre meilleur traqueur, mais il est aussi notre meilleur tueur, il devrait pouvoir s'introduire chez les loups pour nous débarrasser du gosse, non ? fit Vryr.

Maître Typhon jeta un regard à Vryr qui disait clairement qu'il venait de poser une bonne question.

— Tu penses que tu pourrais faire ça ? demanda-t-il en se tournant vers le traqueur.

Assim réfléchit. Il lui était souvent arrivé durant la guerre de s'introduire en douce sur le territoire d'un clan ennemi, mais ça n'avait jamais été sans risque.

— C'est faisable, mais pas facile.

— Mais c'est possible ? demanda avec insistance maître Typhon.

Le traqueur opina.

— Oui. Je pense que oui.

— Eh ben parfait ! Ne reste pas planté là ! Vas-y ! Qu'est-ce que t'attends ? !!! s'exclama Vryr.

— Non.

Maître Typhon et Vryr braquèrent aussitôt leurs regards vers Assim.

— J'ai dit que c'était faisable, pas que j'avais l'intention de le faire, poursuivit le traqueur d'un ton dénué d'émotion.

Les yeux de Vryr s'arrondirent.

— Quoi !!!?

Maître Typhon fronça les sourcils en dévisageant longuement le traqueur. L'expression de ce dernier était indéchiffrable. Il était impossible de savoir ce qu'il pensait.

— Tu ne m'as jamais désobéi ou déçu, *auparavant*...

— Vous ne m'aviez jamais demandé d'assassiner un enfant *auparavant*, répondit laconiquement Assim.

Quelques heures plus tôt, en effet, maître Typhon avait chargé le traqueur de retrouver Mika et de le lui ramener. Il n'avait jamais été fait mention de le tuer.

Maître Typhon se rembrunit.

— Donc c'est bien un vrai refus...

Assim hocha la tête. Il avait beau être un exécuteur, il n'en était pas moins digne pour autant. Éliminer un enfant de cet âge n'avait rien de glorieux. Au contraire, n'importe quel Taïgan digne de ce nom trouverait bien cela honteux.

— En effet.

Vryr poussa un feulement de fureur.

— Comment oses-tu ? Tu sais ce qu'il arrive à ceux qui refusent d'obéir aux ordres des membres du Conseil ?

Assim, indifférent et immobile, ne prit même pas la peine d'essuyer les postillons que Vryr venait de lui cracher dessus en hurlant. Il les ignora. Tout comme les menaces du Taïgan.

— Oui. Je suis chargé de les tuer.

Vryr, pris au dépourvu, ouvrit la bouche, la referma, puis la rouvrit aussitôt pour balbutier :

— Eh ben… eh ben oui, exactement !

Le traqueur haussa les épaules et, continuant à fixer le mur devant lui, il demanda d'un ton neutre :

— Puis-je disposer ?

— Non ! hurla Vryr.

Irrité, Maître Typhon intervint aussitôt.

— Tu le peux.

Assim le salua de la tête et quitta fièrement la pièce sans accorder le moindre regard à Vryr qui écumait de rage.

25

Le crépuscule éclairait encore de sa lumière rosée la forêt qui longeait les terres maudites. Cléa, Wan et Maya avaient décidé de s'y arrêter afin de dormir et de s'y sustenter, puis de repartir à l'aube.

— On va chasser ? J'ai faim, fit Wan en regardant Cléa et Maya.

La bête frémit. Elle avait senti les nouveaux intrus dès qu'ils avaient pénétré sur son territoire. Ils n'étaient pas comme les bipèdes qu'elle dévorait régulièrement. Non, ceux-là avaient une odeur différente. Ils ne sentaient pas la proie et elle ne pouvait s'empêcher de se demander pourquoi.

— Allez-y, je vous rejoindrai plus tard, répondit Maya.

Wan haussa les épaules puis partit en courant dans les profondeurs boisées.

— Eh Serpaï ! Tu pourrais m'attendre ! cria Cléa avant de se lancer à sa poursuite.

Maya les suivit du regard, amusée, puis elle commença à rassembler le bois pour alimenter le feu. La nuit était lentement en train de tomber. Des ombres inquiétantes apparaissaient et disparaissaient entre les arbres. Dans un vent étrange qui faisait vibrer l'air, les branches ondulaient comme animées d'une danse démoniaque.

Maya se baissait pour ramasser un énième bout de bois lorsqu'elle se figea brusquement. Elle ne pouvait ni la voir ni l'entendre. Mais elle le sentit. Elle la sentit avant même de voir son immense silhouette surgir devant elle. Clignant des yeux comme si elle voulait se libérer d'un cauchemar éveillé, tétanisée, elle regarda la bête sans bouger. Elle avait l'air de sortir tout droit de l'enfer et ressemblait à un… démon. Plissant les yeux, elle réfléchit. Un démon… oui, c'était ça. Ça ne pouvait être que ça. Petite fille, elle écoutait les histoires des anciens qui racontaient que les démons étaient l'ultime protection de ce monde. Et qu'à l'instar des Yokaïs ils protégeaient les terres et les espèces menacées. Mais Maya savait déjà, en voyant la férocité et la folie luire dans les yeux de la bête, que ces histoires ne disaient pas la vérité. Aucun protecteur n'avait ce genre de regard. Aucune créature de cette terre, pas même les Yokaïs revenus à l'état sauvage, n'avait ce genre de regard.

Le démon émit un hurlement horrible et Maya déglutit. Il était trop tard pour muter. Et elle n'avait aucun moyen d'échapper à la bête. Pas de meute pour la protéger, pas de bras paternels où se réfugier, pas de Bregan derrière lequel se cacher, pas de Nel pour l'entraîner dans les airs loin de cette forêt…

Les yeux noyés de terreur, elle se mit à courir.

*

En retournant vers le campement, Cléa sentit l'odeur de Maya et autre chose... la peur. Une peur brute, reconnaissable entre toutes. Levant la gueule, elle se mit à hurler pour alerter Wan et s'élança dans les ténèbres. En suivant le bruit de pas qui couraient, elle tomba nez à nez avec Maya et faillit la heurter. Freinant brusquement, elle sentit ses pattes arrière déraper, puis elle le vit LUI. Énorme, terrifiant, le démon s'immobilisa dans sa course et claqua ses énormes mâchoires pratiquement sous son museau.

« Oh oh, c'est pas bon ça », songea Cléa en reculant.

La bête fixa la louve puis poussa un rugissement effrayant.

Se battre ? Fuir ? Cléa hésita.

— Ne reste pas là ! Sauve-toi ! hurla Maya.

— Ouais, bonne idée, suis-moi ! grogna Cléa, la peur au ventre, en décampant à toute vitesse.

Maya s'apprêtait à l'imiter lorsque le démon bondit tout à coup sur ses épaules. S'apprêtant à mourir, elle ferma les yeux, puis, ne sentant plus le poids du monstre sur son dos, elle les rouvrit. Le monstre était parti. Le monstre n'était plus là… il était… oh non !

— Non ! Laisse-la tranquille ! Moi je suis là, reviens ! Allez, reviens, démon ! hurla-t-elle en se relevant.

Puis elle se mit à courir à son tour. Son dos déchiré saignait et la brûlait comme un charbon ardent, ses poumons étaient sur le point d'exploser et sa vision se brouillait, mais elle devait les rattraper. Elle devait empêcher ce monstre de faire du mal à Cléa, elle devait…

— Maya ? Que se passe-t-il ? demanda Wan en apparaissant soudain juste devant elle.

Les jambes de Maya cédèrent et il eut juste le temps de la retenir avant qu'elle ne s'affale sur le sol. Sentant la pression des doigts de Wan sur ses omoplates, elle poussa un gémissement.

— Qu'est-ce que tu as ? Tu es blessée ? fit-il en remarquant à cet instant le sang qui coulait de son dos.

Maya ignora sa question et répondit tandis qu'il l'étendait délicatement sur un lit d'humus :

— Ne reste pas ici ou le… le démon va t'avoir toi aussi.

Wan lui décocha un regard habituellement réservé aux malades mentaux.

— Un démon ? Les démons n'existent pas, Lupaï.

— Eh ben tu le lui diras quand tu le rencontreras, répondit Maya en grimaçant de douleur.

Wan pivota en entendant tout à coup le rugissement lointain d'une bête.

— C'est lui… Fuis… Laisse-moi… laisse-moi…, murmura Maya.

Wan la regarda avec l'avidité d'un faucon observant une souris blessée, mais, contre toute attente, il secoua la tête.

— Cesse de me dire ce que je dois faire ou non, louve, ça me donne envie de te mordre, fit-il avant de se transformer.

*

Le démon hurla, sa colère crépitant autour de lui comme un essaim d'abeilles survoltées. Et pour la première fois de son existence, le

Serpaï entendit la mort chuchoter à son oreille. Il siffla comme pour répondre à la bête en l'observant de ses yeux pourpres. Même s'il était assez monstrueux pour avoir été créé par le diable en personne, ce monstre n'était pas un démon. Il ne pouvait pas l'être car les démons étaient immortels et on ne pouvait pas les tuer. Or, Wan n'avait pas l'intention de mourir.

Le haut du corps relevé en position de combat, les crochets acérés, Wan poussa un sifflement à faire frémir d'horreur les plus intrépides prédateurs et attendit. Le monstre sembla hésiter l'espace d'une seconde puis se rua vers le gigantesque reptile. Rapide, Wan tordit sa colonne vertébrale souple, esquiva le coup de crocs du démon, puis lui balança un coup de queue qui le propulsa à plusieurs mètres. Le démon, plus étonné que sonné, se tourna vers son adversaire en poussant une sorte de rugissement. Il n'avait jamais eu affaire à des intrus de cette taille ou de cette apparence. Des animaux possédant à la fois une odeur de reptile et de bipède, ou de loup et de bipède. Et il trouvait ça déstabilisant. Tournant plusieurs fois en rond comme pour se préparer à l'attaque, il se mit tout à coup à courir vers Wan et, la gueule ouverte, il bondit assez haut pour atteindre la tête de Wan. Mais encore une fois, ce dernier ne se laissa pas surprendre. En une fraction de seconde, il se tordit pour atteindre la gorge du monstre, planta ses crochets dans son cou puis les rétracta à la vitesse de l'éclair. Le démon, croyant s'être libéré sans mal, se retourna vers lui et enfonça ses crocs à travers la peau épaisse. Wan poussa un sifflement et se contorsionna dans tous les sens pour se libérer de l'emprise de la bête. Puis, tout à coup, l'énorme mâchoire du monstre se desserra, il s'écarta du Serpaï et poussa un gémissement.

Wan le regarda s'éloigner vers un bosquet en souriant intérieurement.

« C'est bien ce que je disais, cette sale bestiole n'a rien d'un démon », songea-t-il.

Le poison glacial que lui avait injecté Wan devenait de plus en plus chaud au fur et à mesure qu'il se propageait dans les veines du monstre. En atteignant le cœur, il était aussi brûlant et mortel qu'une coulée de lave. La bête leva la gueule en hurlant de douleur, le regard empreint de surprise et d'incompréhension. Elle avança encore d'un pas, puis de deux... et s'effondra sur le sol.

*

Wan, peu après son combat avec le démon, était, à la demande de Maya, parti à la recherche de Cléa. Mais, en la retrouvant, il n'avait pas eu besoin d'examiner le corps de la Lupaï pour savoir ce qu'il en était : il lui avait suffi de croiser le regard mort et vide de la louve pour comprendre aussitôt. Le démon ne lui avait laissé aucune chance. Il avait refermé sa mâchoire sur le cou de Cléa et avait sectionné sa colonne vertébrale avec ses énormes crocs.

— Où est-elle ? Où est Cléa ? demanda Maya dès qu'elle vit le Serpaï revenir vers elle.

Wan la dévisagea longuement puis secoua la tête. Maya blêmit.

— Quoi ? Non... non...

— Maya...

— Non, je t'ai dit non ! Tu te trompes ! Elle... elle...

— Je ne me trompe pas. Je suis désolé.

Une lueur de compassion inattendue mais sincère brillait dans les yeux du Serpaï et Maya comprit alors qu'il disait la vérité. Morte. Cléa était morte. Elle était morte à cause d'elle. Elle était morte parce qu'elle n'avait pas pu rattraper le monstre à temps, parce qu'elle n'avait pas couru assez vite, parce qu'elle n'avait pas cru l'avertissement de ce stupide humain qui leur avait déconseillé de se rendre dans la forêt de la bête...

— Maya ? fit Wan en la voyant ouvrir la bouche sans prononcer un son.

Soudain un hurlement fendit le silence de la nuit. Quelqu'un hurlait. Maya se demandait qui poussait un tel cri de douleur quand elle réalisa soudain que c'était elle.

— Maya...

Elle sentit des bras la soulever légèrement et une main attirer sa tête contre une épaule. Alors, quelque chose céda en elle. Elle se blottit contre le corps qui la serrait et se mit à sangloter, à sangloter et sangloter encore sans pouvoir s'arrêter.

— Si tu continues à me pleuvoir dessus, je vais finir par te bouffer, fit Wan sans parvenir pour autant à la sortir de l'état second dans lequel elle se trouvait. Bon d'accord, lâcha-t-il en la rallongeant délicatement sur le sol.

Puis il attendit. Il attendit durant une heure que les larmes de Maya finissent enfin par se tarir.

— Tu veux quelque chose ? demanda-t-il dès qu'elle se fut un peu calmée.

— Soif…

Wan fronça les sourcils et posa sa main sur le front de Maya. Elle était brûlante. Se levant d'un bond, il partit en courant chercher la gourde d'eau au campement et revint avec une foule de questions dans la tête : « Qu'est-ce que tu fais ? Pourquoi te donner tant de mal pour une canidée ? Dans son état, elle ne sera d'aucune utilité dans la chasse aux humains, ce qui te laisse deux options : la première, tu l'abandonnes ; la seconde, tu la tues. » Mais, étrangement, il ne pouvait se résoudre à choisir l'une ou l'autre.

— Bon sang, réagis ! Quel est le problème ? T'es malade ou quoi ? se morigéna-t-il à mi-voix sans comprendre pourquoi sa gorge venait brusquement de se serrer en entendant Maya gémir.

Il s'agenouilla près d'elle et lui souleva doucement la nuque.

— Tiens, bois, fit-il en versant de l'eau fraîche dans sa gorge.

Puis il la reposa délicatement sur le sol.

— Chaud…

Il posa de nouveau sa main sur son front. La fièvre avait encore augmenté. Il fallait à tout prix trouver un moyen de la rafraîchir. Poussant un profond soupir, il s'allongea près d'elle en espérant que l'effet de sa peau glaciale contre celle de la louve pourrait aider à faire redescendre la brûlure de la fièvre. Il était à peine allongé que Maya se colla inconsciemment contre lui.

— On ne t'a jamais dit de ne pas approcher un Serpaï de si près, idiote ? murmura-t-il avant de repousser doucement les longs cheveux blancs de Maya qui lui chatouillaient le torse. Tu es vraiment un cas désespéré.

*

Maya se réveilla, les paupières rouges et gonflées. Sa jambe lui faisait mal et elle avait l'impression que sa tête allait exploser.

— Tu te réveilles enfin ?

Le visage de Wan était presque collé au sien. S'extirpant de son étreinte, elle laissa échapper un grondement tandis que sa louve bondissait à l'intérieur d'elle en grognant : « Attention, Serpaï ! Danger ! »

— Eh, on se calme, d'accord ? Je me suis simplement collé contre toi pour faire baisser ta fièvre.

Il souriait. Et elle se figea, saisie. De près, le pourpre de ses yeux était si étincelant, si irréel, qu'elle songea, l'espace d'un instant, que la créatrice de mondes avait dû colorier elle-même les iris du Serpaï avec le plus fin et le plus délicat des pinceaux.

— Ça va ? Tu fais une drôle de tête. Tu as faim ? Tu veux manger quelque chose ?

Méfiante, Maya dévisagea Wan longuement et constata, à son grand étonnement, que son visage ne semblait refléter ni motivations cachées ni intentions malfaisantes.

— Oui, ça va, c'est juste que ça me fait bizarre de te voir aussi gentil, répondit-elle au bout d'un moment.

Wan poussa un soupir intérieur. Lui non plus ne comprenait pas ce qu'il lui arrivait.

— Ce n'est pas de la gentillesse, c'est de la prudence. Ton ami Bregan m'a dit qu'il me tuerait s'il t'arrivait quoi que ce soit, t'as oublié ? plaisanta-t-il.

Maya leva les yeux au ciel. Elle savait parfaitement que Wan se fichait complètement des menaces de Bregan et que le Serpaï ne redoutait rien ni personne.

— Et puis, ajouta-t-il, je viens déjà de perdre l'une de vous, alors…

Il s'interrompit en voyant les lèvres de Maya trembler.

— Où… où est-elle ?

— Un peu plus loin, répondit-il évasivement.

Les Yokaïs n'organisaient pas de funérailles, comme les humains. Ils ne couvraient pas leurs sépultures de fleurs. Ils ne chantaient pas pour leur dire adieu. Ils agissaient comme toutes les créatures de la nature. Ils abandonnaient le corps du défunt aux insectes et aux charognards et les laissaient poursuivre leur chemin dans le grand cycle de la vie.

— Tu veux la voir ? demanda Wan.

Maya réfléchit durant quelques instants, puis secoua la tête. Elle voulait conserver l'image d'une Cléa souriante, une Cléa qui riait, qui la taquinait, qui jouait, pas celle d'un corps immobile et froid, étendu dans une sordide forêt.

— Bon, si tu es en état de marcher, on ferait mieux de partir, décida-t-il en se relevant.

— Je ne suis pas sûre que… Je crois que je devrais me transformer…

Wan acquiesça. Les Yokaïs guérissaient cinq fois plus vite sous leur forme animale que sous leur forme humaine. Et ils étaient surtout bien moins vulnérables. Or il ne voulait plus qu'il lui arrive quoi que ce soit. En tout cas, pas tant qu'elle serait sous sa protection.

— Allons-y.

26

Il faisait presque nuit, une légère brise s'était levée et desséchait la peau de Nel, Cook et Bregan. Mais la chaleur ne mourait pas. Elle les forçait à penser à l'eau. À la soif.

— Bregan, regarde ! fit Cook en lui montrant plusieurs chevaux attachés à une corde.

À l'arrière de certains d'entre eux, les hommes avaient construit un étonnant équipage constitué de deux bouts de bois traînant sur le sol et d'une toile tendue permettant au cheval de tirer des objets sans que ces derniers ne s'enfoncent dans le sable.

— Pauvres bêtes, elles vont mourir de soif, soupira Nel.

— Ouais, et elles ne seront bientôt pas les seules, soupira Cook à son tour en essuyant son front couvert de sueur.

— Ils ne doivent pas être très loin, fit Bregan en balayant du regard les environs sans rien trouver.

Il n'y avait rien, rien que de petites dunes roulant sous le soleil déclinant.

— Attendez, il y a un truc bizarre sous mes pieds, vous sentez ? interrogea Nel.

S'agenouillant, elle creusa le sable avec ses mains et aperçut des milliers de bouts de verre de couleur jaunâtre mélangés au sable fin.

— Du verre ? s'étonna Cook.

— Le sous-sol de cette partie de désert doit probablement en être rempli. Vous savez ce que ça veut dire ? demanda Nel.

Cook secoua la tête en poussant un gros soupir. En discutant avec Nel, il avait découvert qu'elle avait développé une passion pour les sciences et qu'elle les étudiait dans des livres anciens. Ces ouvrages rédigés par des scientifiques ayant autrefois appartenu au vieux peuple étaient interdits aux bipèdes, mais les Yokaïs – et en particulier les Rapaïs – en conservaient un grand nombre. Tous n'étaient plus en état d'être lus et certains étaient même écrits dans des langues inconnues, mais les oiseaux étaient des collecteurs de mémoire dans l'âme. Ils aimaient apprendre et récolter des connaissances aussi barbantes qu'inutiles.

— Ça veut dire qu'il y a eu quelque chose d'assez chaud ici pour transformer le sable en verre, expliqua Nel.

— Tu veux dire qu'il y a eu un incendie ici ? En plein désert ? chercha à comprendre Bregan.

Nel grimaça d'un air dubitatif. Elle avait une autre théorie. Une théorie bien plus sombre…

— Pas un incendie : une attaque. Je pense que le vieux peuple a autrefois pris cet endroit pour cible.

— Désolé de te contredire, mais là je crois que le soleil t'a un peu trop tapé sur la tête, répliqua Cook d'un ton sarcastique.

Nel haussa un sourcil.

— Et moi je crois que tu aurais dû t'intéresser davantage aux récits des anciens, ceux qui parlent des armes que le vieux peuple a utilisées pour détruire le monde.

Bregan la regarda avec curiosité. Comme la plupart des Yokaïs, il avait entendu parler des guerres qui, dans le passé, avaient divisé le vieux peuple. La plupart d'entre elles avaient, semblait-il, été causées par de brusques changements de température qui avaient rendu une partie du monde inhabitable et qui avaient contraint des populations entières à quitter les lieux où elles étaient nées. Les grandes migrations avaient entraîné des tensions, puis des conflits ouverts et des révoltes parmi les populations. Et au final, le monde entier s'était embrasé.

— Nos anciens n'ont jamais ouvertement évoqué les armes dont tu parles, Nel. Ils racontent aux enfants que les bipèdes sont mauvais et qu'ils ont fait des choses terribles mais…

Nel poussa un soupir. Elle n'était pas surprise. À l'exception des Rapaïs, les Yokaïs ne s'intéressaient pas vraiment au vieux peuple. Ils appliquaient les règles instaurées par les anciens sans toujours en comprendre les raisons. Or, interdire les sciences et empêcher les humains d'évoluer et de retrouver leurs anciens travers avait, quand on se penchait sur leur histoire, un véritable sens.

— Le vieux peuple a construit des armes pouvant réduire des villes, parfois des pays en cendres. Ces armes, appelées « bombes », créaient des explosions gigantesques et elles étaient capables d'empoisonner l'air, la végétation, le sol et l'eau sur de très grandes distances, expliqua Nel.

— Tu me connais, je ne suis pas un fan des humains ni de leurs ancêtres, mais tu ne crois pas que tu exagères un peu ? fit Cook, sceptique.

— Non, je n'exagère rien, répliqua Nel. Ne les sous-estime pas, Taïgan, ce serait une erreur.

Bregan fronça les sourcils.

— Les bipèdes d'aujourd'hui n'ont rien à voir avec le vieux peuple. Ils sont incapables de créer ce genre de choses…

— Pas « incapables », non. Ils ne sont pas moins dangereux que l'étaient leurs ancêtres, ils ne sont simplement pas libres de le faire. Mais sans nous, sans les Yokaïs, il ne leur faudrait pas très longtemps, à mon avis, pour qu'ils recommencent à s'entre-tuer et à détruire ce qu'il reste de ce monde, fit Nel d'une voix sinistre.

Ce que venait de dire Nel était tellement empreint de vérité que deux feulements agressifs s'échappèrent des poitrines de Cook et Bregan. La Rapaï esquissa un sourire.

— Je vois que cette perspective ne vous réjouit pas plus que moi, constata Nel.

— Tu sens ? demanda soudain Bregan en se tournant vers Cook.

Des effluves d'humains lui emplissaient les narines. Pas de doute : ils étaient passés là peu de temps auparavant.

— Je ne suis pas comme toi, répondit Cook, mais je peux muter si tu veux…

Le flair de Bregan sous forme humaine était presque aussi développé que lorsqu'il se trouvait sous forme de tigre. La plupart des Taïgans, dont Cook, lui enviaient ce don exceptionnel. Mais Bregan, qui n'était pas stupide, avait compris depuis longtemps que ce que ses semblables considéraient comme un don n'en était pas un : c'était la preuve que la bête qui vivait en lui ne dormait jamais vraiment. La preuve de sa bestialité profonde.

— Inutile, suivez-moi, décida Bregan en s'élançant droit devant lui.

Ils parcoururent une cinquantaine de mètres puis stoppèrent net devant deux grands cercles de pierres émergeant à peine du sable.

— Eh ! C'est quoi ça ? s'écria Cook.

— Des traces de pas… Regarde, ils sont passés par là, conclut Nel en montrant les vestiges d'un bâtiment de pierre.

Ils entrèrent puis virent soudain une porte entrouverte, épaisse d'au moins un mètre et fabriquée dans une matière inconnue. L'ouvrant complètement, ils avancèrent de cinq mètres et tombèrent sur un escalier menant sous terre.

— On descend ? demanda Cook.

— On descend, répondit Bregan.

Nel déglutit. Plus que n'importe quel Yokaï, les Rapaïs redoutaient les lieux clos, sombres et fermés.

— Nel ? fit Bregan en la voyant hésiter.

Prenant son courage à deux mains, la Rapaï inspira profondément et opina.

— Je vous suis.

L'obscurité grandissait tandis qu'ils descendaient les marches mais ça ne gênait pas les Yokaïs. Leur vue était excellente dans le noir et ils percevaient chaque aspérité du mur ou des marches sans difficulté. Atteignant un grand hall à moitié rempli de sable d'où partaient plusieurs passages plongés dans les ténèbres, ils échangèrent un regard.

— Bregan ? appela Nel en essayant d'oublier qu'elle se trouvait dans une cavité souterraine.

— Par ici, répondit Bregan en s'engouffrant dans l'un des passages.

Nel et Cook lui emboîtèrent le pas. Il faisait frais et sombre. L'odeur entêtante de la poussière et de la vieille pierre envahissait tout. Remontant le long passage, ils traversèrent trois salles parcourues de toiles d'araignées puis s'enfoncèrent profondément, très profondément dans le sous-sol jusqu'à une quatrième pièce. Fraîche et humide, elle devait bien mesurer cent mètres de longueur.

— On n'est pas dans une ville souterraine… Regardez cette pièce, elle ressemble aux images que j'ai vues dans des livres, des endroits que le vieux peuple appelait « centrales à énergie », se rappela Nel.

— Centrales à énergie ? Qu'est-ce que c'est ? s'étonna Bregan.

— Un endroit que le vieux peuple utilisait pour faire marcher leurs machines et éclairer leurs cités, expliqua Nel.

Bregan écarquilla les yeux.

— Ils éclairaient leurs cités ?

— Eh regardez ! Il y a des tonnes d'eau tout au fond, s'exclama Cook en se penchant au-dessus d'une énorme cuve, on pourrait descendre par là, qu'est-ce que vous en dites ?

Nel fronça les sourcils. S'ils se trouvaient vraiment dans une centrale à énergie, alors ils ne devaient toucher à rien.

— Ne t'approche pas de cette eau ! fit Nel en le retenant par le bras.

— Quoi ? Qu'est-ce qui te prend ? demanda le Taïgan.

— Ne touche à rien, répéta Nel en fronçant les sourcils.

— Tu nous expliques ? intervint Bregan.

— Le vieux peuple utilisait des métaux très rares pour fabriquer leur énergie. Des choses qui tuaient les gens… comme l'uranium, le polonium… Tout était radioactif et…

— Radioactif ? C'est quoi ça encore ? grommela Cook.

— Ce serait trop long à expliquer, mais je te jure que c'est dangereux, voire mortel, déclara Nel.

Cook grimaça.

— Ouais d'accord, mais l'eau c'est pas dangereux et on est en plein désert donc…

— Tout ce qui est ici l'est. L'eau y compris, rétorqua durement Nel.

— Mais je crève de soif ! protesta Cook.

Bregan la dévisagea.

— Il a raison, Nel, comment peux-tu être certaine que…

— Je ne suis certaine de rien, mais les anciens ont bien dit que les humains et les Yokaïs qui sont venus ici et qui sont revenus sont tous morts d'une étrange maladie, pas vrai ? leur lança Nel avec un regard appuyé.

Une lueur de compréhension s'alluma dans les yeux de Bregan.

— Tu penses que c'est à cause de ça, de cet uranium ou de cette eau ?

Nel réfléchit. Elle ne savait pas grand-chose des anciennes technologies. Elle ne savait pas combien de temps les produits restaient dangereux, ni si cette eau était réellement contaminée mais…

— Je n'en sais rien, je dis juste qu'il est préférable de ne toucher à rien.

Bregan réfléchit. Avec la chaleur insupportable régnant à l'extérieur, si des Yokaïs ou des humains étaient réellement venus ici, ils s'étaient probablement baignés dans la cuve ou avaient bu de cette eau. Les soupçons de Nel n'étaient donc peut-être pas aussi ridicules et étranges qu'ils le paraissaient.

— D'accord, fit Bregan.

Puis il se tourna vers Cook.

— Fais ce qu'elle te dit : tu n'y touches pas, d'accord ?

Cook se renfrogna.

— Non, pas d'accord, depuis quand c'est elle qui commande ?

— Cook ! le reprit Bregan sévèrement.

Nel soutint le regard noir que le Taïgan lui lançait et déclara fermement :

— Écoute, on n'a pas le temps de se disputer, d'accord ? Au cas où tu l'ignorerais, les aigles détestent être sous terre, alors on trouve les bipèdes, on découvre ce qu'ils sont venus faire ici, on les tue et on repart, ça te va ?

Cook grimaça.

— C'est fou ce que cette gosse est sensible, tu ne trouves pas ? demanda-t-il en prenant Bregan à témoin. Finalement, je commence à comprendre le Serpaï quand il dit qu'on devrait se méfier d'elle. C'est pas une gamine, c'est un sale petit monstre.

— Le monstre vient peut-être de te sauver la vie. Allez, il est temps de nous remettre en chasse, répondit Bregan en humant l'air pour retrouver l'odeur de leurs proies.

*

Duncan et ses hommes regardaient les conteneurs en béton éventrés avec suspicion. Le vieux peuple avait pris soin de les enterrer très profondément, ce qui signifiait soit qu'ils étaient précieux, soit qu'ils étaient extrêmement dangereux. Compte tenu des circonstances, tous connaissaient déjà la réponse.

— On doit tous les remonter ? demanda l'un d'eux.

— Y'a quoi dans ces fûts ? fit un autre.

— Je vous l'ai dit, c'est du poison, répondit Duncan.

— Pourquoi y'a ces dessins marqués dessus ? le questionna un troisième.

Duncan fronça les sourcils. Il avait mis plusieurs semaines pour découvrir la signification de ces sigles. Il avait fallu monopoliser le réseau « Résilience » tout entier et lire un certain nombre de livres interdits ayant échappé à la surveillance des Yokaïs.

— Ça veut dire qu'ils sont dangereux, mortels.

Amir, remarquant que plusieurs fûts étaient ouverts et n'étaient plus étanches, soupira.

— Donc si on les touche...

Duncan acquiesça gravement.

— Oui.

— Mais c'est sûr qu'avec ça, ces foutues bêtes vont toutes crever ? interrogea Amir.

« C'est à espérer », songea Duncan en croisant les doigts pour que ce soit le cas.

— Sans aucun doute.

Un large sourire étira les lèvres d'Amir.

— Alors ça me convient.

*

Nel, Cook et Bregan descendaient de plus en plus profondément sous terre. L'aigle regarda instinctivement en l'air. Il n'y avait pas de ciel. Seulement un plafond et des murs. Jamais la lune ou le soleil ne se lèveraient ici. Les siècles, les années, les minutes s'y écouleraient sans que les couleurs des saisons ne teintent jamais cet endroit.

— J'étouffe, fit Nel en sentant soudain l'angoisse lui serrer la gorge.

— Ils ne sont plus très loin, répondit Bregan sans ralentir pour autant.

Nel ferma les yeux en se demandant l'espace d'un instant si elle n'allait pas abandonner.

— Allez, gamine, encore un effort, on y est presque, l'encouragea Cook en remarquant qu'elle avait du mal à respirer.

— Et même… et même si on les atteint, je ne vous serai d'aucune utilité, continua-t-elle en déglutissant.

Cook fronça les sourcils. Il n'y avait pas songé, mais ce que venait de dire la petite Rapaï était exact. Elle ne pouvait pas se transformer et voler dans un endroit aussi bas de plafond. Et elle avait beau être forte, plus forte que la plupart des bipèdes, combattre sous forme humaine allait la rendre vulnérable.

— Tu as raison, fit-il en s'empressant de rattraper Bregan. Attends, Nel doit repartir !

Bregan lui lança un regard surpris.

— Quoi ?

— Elle ne pourra pas muter ici, expliqua Cook.

Bregan haussa les épaules.

— Elle n'en aura pas besoin.

— Bregan, on ne sait pas à quoi on va avoir affaire, tu es sûr de vouloir mettre la petite en danger ?

Bregan le regarda d'un air railleur.

— Je croyais que c'était un monstre ?

— Ouais, c'est un monstre, mais un *petit* monstre, répondit Cook avec une mauvaise foi évidente.

Bregan s'esclaffa, puis se tourna vers Nel qui se trouvait quelques pas derrière eux.

— Tu préfères nous attendre à la surface ?

Nel resta quelques instants déchirée par l'indécision. Elle y était. Quel que soit cet endroit ou le sort qui les attendait, c'était ici que tout se jouait. D'un autre côté, elle savait qu'elle deviendrait une gêne pour Cook et Bregan si un combat devait éclater.

— Oui, répondit-elle finalement.

— Bon, alors je compte sur toi pour surveiller nos arrières, d'accord ? dit Bregan.

— Et moi je compte sur vous pour être prudents, répliqua-t-elle en leur jetant un regard insistant.

Bregan sourit.

— C'est promis.

27

Tournoyant dans le ciel, Nel aperçut avec étonnement plusieurs humains surgir du sable comme des diables de leurs boîtes.

— Courez ! Courez ! hurla un homme portant une torche.

— Des Taïgans ! Ce sont des Taïgans ! cria un grand gaillard à la barbe blonde.

Nel glatit. Le bruit des coups de feu, quoique étouffé, restait perceptible. Une autre sortie… Les humains avaient emprunté un autre chemin pour regagner la surface, et ils avaient tiré sur Cook et Bregan en s'échappant.

— Ouvrez un fût et balancez tout à l'intérieur ! ordonna Duncan en se tournant vers les deux compagnons qui le suivaient.

L'un des deux hommes fit demi-tour et ouvrit le fût qu'il transportait dans les bras avant de se pencher au-dessus du passage par lequel il venait de sortir. Nel l'observa de ses yeux perçants et remarqua le dessin sur le fût… Elle le connaissait… elle l'avait déjà vu dans… Se souvenant soudain de quoi il s'agissait, elle poussa un cri de fureur. Non !!!!!!!!!!!! Vive comme l'éclair, elle fonça sur l'homme au fût, le souleva dans ses serres, l'entraîna dans les airs et le laissa s'écraser lourdement sur le sol, avant de piquer de nouveau sur un autre bipède et de lui ouvrir entièrement le crâne d'un coup de bec.

— Amar ! Le chargement ! On doit sauver le chargement ! Vite ! hurla Duncan en éteignant sa torche dans le sable.

Nel ricana intérieurement. Que s'imaginaient ces humains ? Que les Yokaïs ne pouvaient pas distinguer chacun de leurs mouvements dans le noir ? Secouant la tête, elle suivit des yeux les deux hommes qui s'enfuyaient sur leurs chevaux et, renonçant à les poursuivre, elle se posa sur le sol et muta. Nel devait prévenir Cook et Bregan et leur dire de ne pas s'approcher des humains et de leur poison. Et pour ça, elle n'avait pas d'autre choix que de reprendre rapidement forme humaine.

— Je vais te crever, charogne ! s'écria un homme en se jetant tout à coup sur elle.

— Essaie toujours, bipède ! répondit Nel en esquivant souplement l'attaque en roulant sur le côté.

Puis elle se redressa, bondit sur lui et serra son cou de toutes ses forces. Surpris, l'homme attrapa un couteau dans l'étui qu'il portait à la cuisse et le planta dans le flanc de Nel. Cette dernière poussa un cri de douleur mais ne relâcha pas sa prise pour autant.

*

Cook et Bregan, le pelage couvert de sang, suivaient la piste des humains qui étaient parvenus à s'enfuir. Ils n'étaient pas loin. Leur odeur emplissait le passage dans lequel les deux Taïgans se trouvaient. La peur. Ils sentaient la peur, et les deux tigres respiraient cette senteur avec délectation.

— Les tigres ! Les tigres ! hurla un homme en les voyant arriver.

Il brandit son fusil s'apprêtant à tirer, mais l'arme lui échappa des mains. Il grimpa alors à une vieille échelle en fer adossée au mur et disparut dans une sorte de conduit menant vers l'extérieur. Les Taïgans levèrent la tête pour l'observer puis, réalisant qu'ils étaient incapables de le suivre sous leur forme animale, ils commencèrent à muter.

— Plus vite, Cook !

— Ne t'inquiète pas, on ne laissera aucun d'entre eux s'enfuir, répondit celui-ci avec un rictus mauvais.

Les humains avaient tiré sur les Taïgans dès qu'ils s'étaient aperçus de leur présence, mais leur riposte avait été trop lente et ils avaient vite été submergés.

— Hum… ça fait du bien, fit Bregan dès qu'il atteignit la surface.

La chaleur était toujours intense, mais dehors, au moins, l'air ne sentait ni la moisissure ni le renfermé.

— Inutile de te débattre, je vais te tuer ! hurla une voix sourde.

Bregan tourna aussitôt la tête et écarquilla les yeux. Un homme se battait avec la Rapaï. Une odeur de sang flottait dans l'air. Fou de rage, Bregan courut vers les deux belligérants, saisit le bipède par le cou et lui brisa la nuque avant de le laisser choir comme un vieux sac sur le sable.

Reconnaissant le Taïgan, Nel agrippa sa jambe.

— Ne touchez pas à ces humains ! Ne les mangez pas ! Ne vous approchez pas de ces fûts ! Ce sont… ils vous rendraient malades !

Bregan s'accroupit aussitôt près d'elle.

— Tu es blessée ?

— Tu as entendu ce que j'ai dit ? demanda-t-elle d'une voix hachée.

— Oui, ne t'inquiète pas. On n'a pas eu le temps de manger qui que ce soit, répondit Bregan d'un ton rassurant.

— Tu ne pouvais pas rester tranquille ? Qu'est-ce qui t'a pris d'attaquer cet humain sous cette forme ? lui reprocha Cook après avoir tué l'homme qui avait tenté, un instant plus tôt, de leur échapper.

— Je n'ai attaqué personne, c'est lui qui a commencé, moi je voulais juste vous prévenir, se défendit Nel tandis que des points noirs envahissaient son champ de vision.

— Franchement, Nel, tu ne crois pas qu'on aurait pu s'en sortir tout seuls ? maugréa Cook en arrachant un bout de vêtement sur un cadavre pour en faire un bandage.

— Je viens de te dire ce qu'il y avait dans ces fûts. On ne doit pas rester là, ils sont dangereux, balbutia Nel avec difficulté.

— Tu as perdu trop de sang, je dois d'abord arrêter l'hémorragie, rétorqua Cook.

— Ne perdez pas de temps à me soigner, il faut les rattraper.

— Ils sont tous morts, Nel, soupira Cook.

— Non, pas tous, fit Bregan en humant l'air.

*

L'homme n'osait esquisser le moindre mouvement ni émettre le moindre murmure. Sa respiration était devenue quasi imperceptible. Enterré partiellement sous le sable, il écoutait les Yokaïs.

— Sors de là, humain ! ordonna Bregan.

L'homme écarquilla les yeux en se demandant à qui le tigre s'adressait, puis, voyant que ce dernier se dirigeait vers lui, il sortit de sa cachette en tremblant.

— Qui es-tu ? Qui étaient ces hommes ? Que comptiez-vous faire de ces fûts ? demanda Bregan en le dévisageant.

— Je... je l'ignore..., balbutia-t-il en tentant de distinguer les traits de Bregan en dépit de l'obscurité.

— Il ment, déclara Cook en continuant à bander la blessure de Nel. Tue-le !

— Oh non, je ne vais pas le tuer, je vais faire bien pire que ça... Tu as une famille ?

L'homme blêmit brusquement.

— Non... non... je...

— Menteur. Si tu ne parles pas, mes amis et moi irons leur rendre visite, hein, qu'est-ce que tu en penses, Cook ?

— J'en pense que ça fait longtemps que je n'ai pas dévoré d'enfants, ricana Cook.

Toute couleur déserta le visage de l'homme.

— Attendez, je ne…

Bregan saisit sa gorge et le souleva d'une main.

— Tu sais que les Yokaïs tiennent toujours leurs promesses, n'est-ce pas ?

Oui, ces monstres tenaient toujours ce genre de promesses, tous les humains le savaient parfaitement. Les Yokaïs retrouveraient sa famille. Sa famille… C'était pour elle qu'il avait pris tous ces risques, pour elle qu'il était venu ici, pour elle qu'il avait décidé de se sacrifier… Et maintenant… Non, non, il refusait de laisser ces bêtes immondes dévorer ses enfants… Pas question !

Le menton tremblant, il commença à parler :

— Ils… les autres… Duncan… il veut verser le contenu des fûts dans vos réserves d'eau et… empoisonner vos cultures, vos animaux… Je ne sais pas bien comment il compte s'y prendre mais il disait qu'avec ce poison, les humains pourraient se débarrasser des Yokaïs une bonne fois pour toutes.

Bregan poussa un grondement tandis que Nel se relevait, choquée. Elle savait les bipèdes capables de faire des choses terribles, mais elle ne pensait pas que ce serait aussi effrayant. Aussi atroce. Mais à présent qu'elle voyait la vérité, qu'elle découvrait réellement la monstruosité des hommes, la réalité de ce qu'ils étaient en train de faire la percutait si fort qu'elle avait l'impression que la terre se dérobait sous ses pieds.

— Ce poison est vraiment capable de faire ça ? demanda Cook en pivotant vers Nel.

L'aigle était soucieuse. Elle ignorait si les déchets étaient encore radioactifs, elle ignorait si les humains pouvaient vraiment s'en servir de cette façon ni si leur plan tordu était susceptible de marcher mais…

— C'est l'une des inventions humaines qui a contribué à détruire l'ancien monde, confirma-t-elle en s'accrochant au bras du Taïgan pour ne pas s'effondrer. Des hommes… deux hommes se sont enfuis avec le chariot, on doit les rattraper.

— Tu es incapable de voler pour le moment, tu es blessée, lui rappela Bregan en soupirant.

Nel déglutit. Elle se souvenait de la première fois où elle s'était plongée dans les livres et où elle avait découvert la civilisation du vieux peuple. Elle se souvenait de son émerveillement devant toutes les connaissances que les humains avaient accumulées puis du sentiment d'horreur qui l'avait envahie au fur et à mesure qu'elle comprenait à quel désastre l'avidité des hommes et leur égoïsme avaient conduit le monde. Ils s'étaient comportés comme des tyrans, ils avaient cru que tout leur appartenait, ils s'étaient complètement moqués des autres espèces animales et végétales de cette terre et les avaient, petit à petit, fait disparaître. Elle se souvenait de l'immense tristesse qui l'avait submergée en découvrant l'histoire de l'humanité, puis de la colère… de cette colère qui ne l'avait, depuis, jamais vraiment quittée.

— Peu importe. On doit les tuer. Tous, déclara-t-elle en serrant le poing.

Cook lui jeta un regard surpris.

— De quoi est-ce que tu parles ?

— Des humains. De tous les humains.

Bregan fronça les sourcils.

— Nel…

— Quoi ? En dépit de tout ce qu'on a essayé de leur inculquer, ils pensent encore que leur espèce est supérieure à toute autre, qu'ils peuvent détruire l'ensemble des autres espèces au gré de leurs caprices et que tout leur est dû. Je crois qu'il est grand temps de leur faire définitivement passer ce sentiment de toute-puissance, proféra-t-elle avec un regard si dénué d'émotion qu'il faisait froid dans le dos.

Bregan grimaça.

— Tu ne crois pas que c'est un peu…

— … un peu quoi ? cracha Nel. Ils ont voulu recommencer, Bregan. Ils ont transformé des continents en déserts, d'autres en terres de glace, toutes les îles qui existaient ont été submergées, et ils ont maintenant décidé d'empoisonner le seul endroit encore vivable de cette planète.

— Et puis ils ont prévu d'éliminer tous les Yokaïs, Bregan, de nous éliminer. Nel a raison, ça ne peut pas rester impuni, approuva Cook.

— Tu penses à une éradication totale ? demanda Bregan, perplexe.

Nel inspira profondément pour calmer la douleur qui se diffusait le long de son dos et opina :

— Oui.

Bregan reporta son attention sur Cook :

— Et toi ?

Cook haussa les épaules.

— Tu me connais, quand j'ai un problème, je choisis toujours de le régler de manière définitive. On ne peut pas changer leur nature. On a déjà essayé, à maintes reprises, mais ça n'a servi à rien.

Bregan prit un temps de réflexion. Pas une guerre mais une éradication pure et simple… S'il s'était agi de n'importe qui d'autre, il aurait mis la réaction de la Rapaï sur le compte de la colère mais il connaissait suffisamment Nel pour savoir que l'aigle ne parlait jamais à la légère. Elle pensait vraiment ce qu'elle disait et elle en mesurait parfaitement les conséquences.

— Je suis comme vous, je suis furieux, mais condamner toute une espèce ? Vous êtes sérieux ? Et les enfants ? Vous y avez pensé ? On est allés en classe avec bon nombre d'entre eux, tous ne méritent pas de mourir, objecta-t-il.

Nel dévisagea le Taïgan.

— Les petits humains grandissent et finissent un jour ou l'autre par devenir comme leurs parents.

Bregan fixa Nel durement.

— Visiblement, ils ne sont pas les seuls.

Nel rougit malgré elle.

— Je ne suis pas comme ma mère.

— Non, même Aeyon ne se montrerait pas aussi cruelle, répliqua sèchement Bregan.

— Euh… je ne voudrais pas interrompre cette intéressante discussion, mais on fait quoi pour les deux humains qui se sont enfuis ? demanda tout à coup Cook.

Bregan se tourna vers l'homme, tétanisé et stupéfait, qui avait écouté silencieusement leur échange.

— Où vont-ils ? Quel est le plan exact ?

— Ils… ils ont rendez-vous à Allyon, un village non loin de la frontière, répondit-il en déglutissant. Et après, je ne sais pas… je ne connais pas tous les détails…

— D'accord. Le problème, maintenant, c'est de savoir comment s'y rendre…, fit Bregan d'un ton soucieux.

— Mutez, mutez et partez, lâcha Nel d'une voix blanche en sentant sa douleur resurgir.

Bregan secoua la tête.

— Pas question de t'abandonner ici.

— Euh, moi je n'aurais rien contre, mais sans eau, on ne tiendra pas très longtemps, fit remarquer Cook.

Bregan se pencha sur l'un des cadavres et détacha une gourde attachée à sa ceinture.

— Il reste de l'eau. Cook, vérifie les ceintures des bipèdes et ramène toutes les gourdes que tu pourras trouver.

— D'accord, mais il va falloir que je redescende là-dedans, dit-il en pointant du doigt l'entrée du passage souterrain qu'avaient emprunté les humains.

— Entendu. Pendant ce temps, je vais veiller sur Nel et sur celui-là, fit Bregan en foudroyant du regard l'homme qui se mit à trembler aussitôt.

— Je… je ne ferai rien. Je ne dirai rien. Si vous ne me tuez pas, je vous promets de ne pas bouger.

Bregan le toisa avec dédain, puis il avança vers Nel, souleva la tête de la jeune Rapaï et glissa la gourde entre ses lèvres desséchées.

28

Perchés sur les branches, les corbeaux regardaient avec attention Jolan, le chef de la meute, et Malak avancer vers les deux Taïgans. Chacun des deux groupes avait pris soin de rester sur son territoire et s'observait à présent de chaque côté de la frontière avec défiance.

— Maître Typhon, j'ai été surpris de votre message, que me vaut ce plaisir ? demanda Jolan en fixant le tigre d'un regard froid.

L'aube venait à peine de se lever, la rosée imprégnait la végétation et un vent frais balayait doucement les branches des arbres. Mais aucun des deux Taïgans qui se trouvaient face à lui n'avait le visage reposé. Leurs traits étaient tirés et ils avaient l'air étrangement agités.

— Je ne vais pas tourner autour du pot : vous avez quelque chose qui m'appartient et je veux le reprendre, déclara maître Typhon.

Jolan écarquilla les yeux et s'enquit d'un ton faussement innocent :

— « Quelque chose » qui vous appartient ? Navré mais je ne vois pas…

— L'enfant. On veut l'enfant ! fit soudain Vryr avec impatience.

— Vous avez perdu un enfant ? Vraiment ? dit Jolan en roulant des yeux comme s'il était sincèrement surpris.

Puis il se tourna vers Malak :

— Une de nos sentinelles aurait-elle trouvé un enfant perdu ?

Malak secoua la tête.

— Pas que je sache.

— Arrêtez cette comédie, Lupaï ! Nous savons qu'il est ici ! Rendez-le-nous ! gronda Vryr en dévoilant ses crocs.

L'air trompeusement affable qu'arborait Jolan disparut comme par enchantement.

— Je viens de vous dire que j'ignore ce dont vous parlez.

— Vous mentez ! gronda Vryr, rouge de fureur.

Jolan plissa les yeux.

— Méfie-toi, Taïgan, je pourrais perdre patience.

Maître Typhon fusilla Vryr du regard puis s'adressa à Jolan :

— Je tiens à vous présenter des excuses pour le comportement du conseiller Vryr. L'enfant disparu est son neveu et il est très inquiet.

Une expression glaciale s'afficha sur le visage du loup. Ainsi donc, son oncle faisait partie des « méchants » dont parlait Mika. Hum... ça commençait à devenir plus clair. L'histoire était vieille comme le monde.

— J'imagine que sa mère ou son père doivent l'être tout autant, dit tout à coup Malak en esquissant un sourire qui n'atteignait pas ses yeux.

— Son père est mort, répondit maître Typhon.

— Et sa mère ? demanda Jolan avec une curiosité qui n'échappa pas aux Taïgans.

— Pourquoi toutes ces questions, canidé ? Que cherches-tu exactement ? fit Vryr en lui jetant un regard noir.

— Cette discussion est close, déclara Jolan d'un ton tranchant. Nous n'avons pas ce que vous cherchez et je préfère être clair : si je surprends un Taïgan sur mon territoire, je le tuerai. Non seulement je le tuerai, mais je vous déclarerai la guerre.

— Alors tu refuses de nous le rendre ? cracha Vryr. Très bien, si c'est la guerre que tu veux, tu l'au…

Maître Typhon ne laissa pas Vryr terminer sa phrase.

— Il n'est pas question de guerre ici ! gronda-t-il. Comprenez-moi bien, la mère de l'enfant que nous cherchons s'est enfuie. Elle l'a abandonné. En tant que conseiller, il est de mon devoir à présent de me charger du petit. Il doit être très perturbé et il ne comprend probablement pas bien la situation. Si je pouvais lui parler et le rassurer, je suis certain que tout pourrait s'arranger.

Jolan s'efforça de ne pas lui rire au nez. Léna ? S'enfuir ? Il ne l'avait rencontrée qu'à deux reprises, mais si Jolan était bien certain d'une chose, c'était qu'une tigresse de sa trempe n'était pas du genre à s'enfuir et à abandonner son petit.

— Honnêtement, je ne peux que compatir à votre situation. Mais je ne vois malheureusement pas ce que je peux faire pour vous. Et croyez bien que je le regrette, mentit Jolan.

Puis il adressa un signe de tête à Malak et ils s'éloignèrent tous les deux tandis que Vryr hurlait dans leur dos :

— Tu nous le paieras, sale cabot ! Tu nous le paieras !!!

Une fois qu'ils se furent suffisamment éloignés, Jolan se tourna vers Malak :

— Dans l'ensemble, ça s'est plutôt bien passé, tu ne trouves pas ?

— Oui. C'était une charmante rencontre. On devrait en organiser plus souvent, ricana le chaman, puis, reprenant son sérieux, il demanda à Jolan : Qu'est-ce que tu en penses ?

— Je pense que Léna, la mère de Mika, est morte, soupira Jolan.

Malak grimaça.

— Tu crois que ce Taïgan, ce Vryr, l'a tuée ?

Jolan acquiesça, le visage grave.

— Avec le soutien de Maître Typhon et probablement du Conseil des tigres dans son ensemble.

Le chaman fronça les sourcils.

— S'il s'agit d'un coup d'État, ils ne vont pas seulement vouloir éliminer Mika, mais aussi son grand frère, Bregan.

— C'est plus que probable.

Une lueur inquiète s'alluma dans le regard du chaman.

— Maya est avec lui. Tu crois qu'ils oseraient aussi s'en prendre à elle ?

— Je crois qu'ils tueront quiconque tentera de sauver l'héritier des Taïgans, affirma Jolan d'un ton sinistre sans remarquer les corbeaux qui s'envolaient brusquement vers le ciel.

*

— Tu ne veux tout de même pas que je te porte ? siffla Wan en entendant gémir Maya.

La louve découvrit ses babines. Elle était persuadée que Wan avait choisi d'arpenter les routes des terres mortes sous forme humaine plutôt que sous forme animale afin de pouvoir parler et l'asticoter à loisir.

— Quoi ? Je n'ai même pas droit à un petit grognement ? demanda-t-il, rieur.

Le Serpaï était épuisé. Marcher sous cette chaleur durant des heures au rythme de la gigantesque Lupaï était très difficile sous cette forme. Même pour un Serpaï. Mais il voulait pouvoir distraire Maya, la taquiner et occuper suffisamment son esprit pour l'empêcher de songer aux événements de la nuit dernière. Pour l'empêcher d'avoir mal. Il savait qu'il ne pourrait pas longtemps chasser la douleur et que la blessure qui avait déchiré le dos de la Lupaï n'était rien en comparaison de celle provoquée par la disparition de Cléa. Il savait aussi qu'aucune distraction ne pouvait guérir son cœur brisé, mais c'était plus fort que lui, il ne supportait pas de rester impuissant à la regarder souffrir.

— Si tu es trop fatiguée ou si ton dos est trop douloureux, on peut faire une pause, si tu veux, suggéra-t-il.

Maya tourna son immense gueule vers lui et poussa un grognement.

— Bon d'accord, j'avoue, je commence à fatiguer, avoua-t-il en souriant.

Maya lui jeta un regard surpris. Fatigué ? Wan ? Elle avait un peu de mal à le croire. Ce Serpaï était une vraie machine. Glacial, dur, inébranlable, rien ne semblait jamais pouvoir l'abattre. N'empêche… Elle plissa les yeux et dévisagea le beau visage du serpent. Oui, pourtant, maintenant qu'elle y songeait, il n'était peut-être pas ce qu'elle imaginait. Ou plutôt ce qu'il voulait que les autres imaginent. Elle le pensait froid et incapable d'éprouver le moindre sentiment, et pourtant il ne l'avait pas abandonnée face à la bête, il ne l'avait pas abandonnée quand elle avait eu de la fièvre, il ne l'avait pas abandonnée quand la douleur d'avoir perdu Cléa l'avait terrassée… Non. Il était resté là à ses côtés, il l'avait réconfortée, serrée dans ses bras et…

Elle cessa un instant de marcher et se figea tandis que les détails de la nuit passée remontaient à la surface.

Dans ses bras ? Elle avait passé toute une nuit dans les bras de Wan !!!? Oh bon sang !

— Regarde, là, il y a des coins d'ombre, on pourrait s'y installer quelques instants, fit-il en indiquant un gros amas de rochers sur le bas-côté.

Maya hocha la tête et le suivit.

— Dis, tu ne voudrais pas changer, le temps de boire un peu ? suggéra-t-il une fois qu'il se fut désaltéré. Sous ta forme humaine, tu auras besoin de moins d'eau et on ne peut pas épuiser trop rapidement nos réserves.

La louve poussa un grognement puis commença à muter.

— Tiens, fit-il en lui tendant sa gourde dès qu'elle eut repris forme humaine.

— Merci.

— Tu as faim ? Si tu as besoin de…

— Arrête ! cria Maya brusquement.

Il leva vers elle un regard surpris.

— Quoi ?

— Arrête d'être aussi… ça me rend dingue ! gronda-t-elle.

— D'être aussi *quoi* ? demanda-t-il en s'approchant d'elle.

Elle tenta de s'écarter mais il ne la laissa pas faire et l'attira brusquement contre lui.

— D'être aussi *quoi* ? murmura-t-il à son oreille.

— À quoi est-ce que tu joues ? Pourquoi est-ce que tu te comportes comme ça avec moi ?

Wan plongea ses yeux dans ceux de la louve, puis repoussa délicatement une de ses longues mèches rebelles derrière son oreille. Et Maya sentit son ventre se contracter étrangement. Elle le détestait. Elle savait qu'elle le détestait, et pourtant face à ce regard qui transperçait son âme et à sa bouche qui lui murmurait des paroles qu'elle n'aurait jamais dû pouvoir entendre, elle ressentait des choses étranges, irrationnelles, des choses qu'elle n'aurait jamais dû ressentir.

— Je ne joue pas, Maya.

Maya ouvrit la bouche puis la referma, abasourdie.

— Après la mort de Cléa, je me suis promis de prendre soin de toi et c'est ce que j'essaie de faire.

Maya cligna nerveusement des paupières. Elle ne connaissait pas le garçon qui la serrait contre lui. Ce garçon qui la regardait si tendrement qu'il enflammait ses joues. C'était un étranger.

— Tu entends ? fit Wan en détachant brusquement son regard de Maya pour le tourner vers la route.

— Des chevaux, souffla-t-elle en acquiesçant.

— Mute ! Vite ! siffla Wan avant de commencer à se transformer.

*

Duncan était heureux. Il avait obtenu ce qu'il voulait. Enfin, pas tout ce qu'il voulait, mais il traînait à l'arrière de son cheval un chargement suffisant pour pouvoir causer de nombreux dégâts dans la population Yokaï, et c'était le plus important à ses yeux. Plus important même que la mort de ses compagnons. Oh, il leur était reconnaissant de leur sacrifice, bien sûr, mais puisqu'ils étaient de toute façon condamnés à cause du poison, il estimait que la mort rapide et sans souffrance que leur avaient infligée les Yokaïs était préférable à la lente agonie qui les aurait rongés à leur retour.

— La frontière n'est plus très loin, cria-t-il à Amar qui chevauchait près de lui, tiens bon !

— On ne passera pas par la forêt, hein ? s'inquiéta celui-ci.

— Si, mais on la traversera en pleine journée, donc il ne devrait pas y avoir de risque.

— Mais la bête…

— La bête ne sévit que la nuit, alors fais ce que je dis et suis-moi ! ordonna Duncan avec sécheresse.

Amar sentit son ventre se nouer.

— Duncan, je ne crois pas que…

Étonné de ne pas l'entendre terminer sa phrase, Duncan tourna la tête vers Amir et réalisa que son compagnon n'était plus sur son cheval. Un énorme et terrifiant Lupaï venait, d'un bond gigantesque et rapide, de le faire chuter de sa monture.

— Non, non, je n'échouerai pas si proche du but, pesta Duncan en frappant le flanc de son cheval pour accélérer.

— C'est gentil à toi de ne pas me faire attendre, murmura Wan en dressant soudain au milieu du chemin.

Surpris et effrayé par le serpent géant, le cheval freina des quatre fers et se cabra aussitôt.

29

Il avait fallu près de quatre heures à Nel avant qu'elle se sente mieux. En dépit de la guérison généralement rapide des Rapaïs, sa plaie ne s'était pas encore refermée, mais elle ne souffrait plus.

— Ils vont finir par nous échapper si on ne s'en va pas dès maintenant, déclara Cook, mécontent, à l'intention de Bregan.

Ce dernier posa un regard interrogateur sur Nel.

— Je crois que je peux muter, affirma celle-ci.

Les Yokaïs avaient récupéré leur selle et ils attendaient, assis sur le sable depuis plusieurs heures, que la Rapaï ait suffisamment retrouvé ses moyens pour pouvoir voler.

— Alors on y va, décida Bregan en se relevant.

*

Maya et Wan sentirent la présence de l'aigle avant même que celle-ci n'apparaisse au loin dans le ciel rougi du crépuscule.

— Je crois que notre voyage est terminé, fit Maya en souriant.

— Dommage, je commençais à apprécier ta compagnie, plaisanta Wan.

— C'est ça oui..., dit-elle, sarcastique. N'empêche, cette fois, c'est moi qui t'ai sauvé la vie !

Wan se renfrogna. L'humain que Maya avait arraché à sa monture l'avait suppliée de ne pas le dévorer, arguant que son corps était empoisonné. Et la Lupaï était intervenue juste à temps pour empêcher le Serpaï d'avaler son compagnon.

— Je te suis redevable, je le reconnais, admit Wan, mais si tu tiens vraiment à faire les comptes…

Elle leva les yeux au ciel.

— Wan !

Le Serpaï lui fit un clin d'œil.

— Je plaisante. Je ne suis pas assez mesquin pour m'abaisser à faire ce genre de calculs.

Maya le dévisagea longuement. Le Serpaï était une énigme. Quand elle pensait l'avoir cerné, il dévoilait quelques instants plus tard d'autres aspects de sa personnalité et elle était de nouveau perdue.

— Avec toi, je ne sais jamais à quoi m'en tenir.

Il lui sourit.

— Dis-toi que ça fait partie de mon charme…

Maya pouffa.

— Du charme ? Toi ? Alors là, tu délires complè…

Il se pencha vers elle et posa délicatement un doigt en travers de ses lèvres.

— Chut, tu vas dire des bêtises…

*

— Alors, vous avez arrêté les deux fugitifs ? demanda Bregan avec un soulagement évident.

— On peut dire ça comme ça, oui, ricana Wan.

— Vous… vous n'avez pas touché à ces hommes ou aux fûts qu'ils transportaient ? s'inquiéta Nel.

— Non, ne t'en fais pas. L'un des humains a eu la bêtise de nous prévenir. Il pensait que ça lui éviterait d'être mangé, répondit Maya.

Cook s'esclaffa.

— Et ?

— Et il avait raison : on s'est simplement contentés de le tuer, précisa Wan d'une voix dénuée d'émotion.

— Où est Cléa ? s'interrogea Nel.

Maya ferma les yeux et Wan répondit à sa place :

— Elle a été tuée par une espèce de bête qui vivait dans la forêt qui sert de frontière entre le territoire des bipèdes et celui des terres mortes.

Bregan s'approcha de Maya et déclara avec une compassion non feinte :

— Je suis désolé. Sincèrement.

Cook darda sur Wan un regard inquisiteur.

— Tu n'as rien pu faire ? Je veux dire, tu te targues toujours d'être si puissant, si…

Une lueur létale s'alluma soudain dans les yeux du Serpaï.

— Tu crois que je l'aurais laissée mourir ?

— Wan n'y est pour rien. Il a tué cette chose et… il m'a sauvée ! cracha Maya, les larmes aux yeux.

Nel, les traits empreints d'une profonde tristesse, se tourna vers Wan :

— Comment était-elle ? Cette bête ?

Wan la décrivit brièvement et Nel poussa un profond soupir.

— Un gardien-démon. C'est bien ce que je craignais.

Tous les yeux se tournèrent vers l'aigle.

— Un gardien-démon ?

— Des histoires racontent que la créatrice de mondes les a créés pour protéger cette terre.

— Tu veux dire qu'il protégeait cette forêt ? demanda Bregan étonné.

— Non. La frontière. La bête était probablement la raison pour laquelle les humains évitaient de s'approcher de la frontière et des terres mortes.

— Je n'ai jamais entendu parler de ces histoires de gardiens-démons, fit Cook.

— Moi non plus, déclara Wan.

Maya jeta à l'aigle un regard furieux.

— Qu'est-ce que tu sous-entends, Nel ? Tu penses que Wan n'aurait pas dû tuer ce monstre et que…

Nel secoua aussitôt la tête.

— Je n'ai pas dit ça. Je cherche simplement une explication. Je ne comprends pas pourquoi il s'en est pris à vous. Vous êtes des Yokaïs et les gardiens de ce monde, tout comme lui, ça n'a pas de sens.

— Franchement je me moque de la raison pour laquelle il nous a attaqués, tout ce que je sais c'est qu'il a tué Cléa ! s'exclama Maya en essuyant rageusement les larmes qui coulaient sur ses joues.

Bregan posa une main sur son épaule.

— Maya…

— Ne me touche pas ! fit-elle en reculant.

— C'est malin, siffla Wan. J'ai passé des heures à essayer de la faire penser à autre chose… Bon, j'avais essayé de l'éviter mais…

Et avant que quiconque puisse réagir, il projeta violemment Maya sur le sol.

— Qu'est-ce qui te prend ? T'es malade ? gronda Maya.

Wan éluda sa question et dévisagea la Lupaï avec un regard de défi.

— Un combat, petite louve ?

*

Bregan regardait avec inquiétude Maya qui s'était endormie près de Wan. Au lieu d'essayer de la consoler comme Bregan avait été tenté de le faire, le Serpaï avait choisi de lutter avec elle jusqu'à ce qu'elle tombe de fatigue. Il avait contenu chacun de ses gestes, l'avait volontairement épuisée et avait fait retomber toute la rage et la colère qu'elle ressentait au fond d'elle. Et le Taïgan devait reconnaître, le cœur serré, en voyant les traits détendus de Maya, qu'il avait sans nul doute eu raison…

— Ils ont l'air de s'être singulièrement rapprochés ces deux-là, murmura Cook en suivant le regard de Bregan.

Ce dernier fronça les sourcils.

— Qu'est-ce que tu insinues ?

— Rien. Je dis juste que je trouve que le Serpaï se donne beaucoup de mal pour aider une fille qu'il est censé détester, c'est tout, répondit Cook avant de s'étendre et de fermer les yeux.

*

Le lendemain matin, Bregan fut réveillé par Nel, à moins que ce fût par les coassements des corbeaux ou les murmures qui bourdonnaient autour de lui, il n'en était pas sûr… Toujours est-il qu'il avait à peine ouvert les yeux qu'un profond silence s'abattait soudain sur le campement.

— Que se passe-t-il ? demanda-t-il à la Rapaï avant de réaliser que tous les autres étaient déjà debout et qu'ils évitaient soigneusement de le regarder.

Nel hésita.

— Nel, que se passe-t-il ?

La Rapaï déglutit puis répondit, les yeux baissés :

— Les corbeaux… les corbeaux viennent de nous annoncer une nouvelle qui…

— Parle ! Quoi ? Qu'ont-ils dit ? gronda-t-il d'un ton impatient.

— Ta mère est morte, Bregan. Des Taïgans l'ont tuée.

— Quoi ? articula Bregan comme si son cerveau refusait de comprendre ce que Nel venait de dire.

— Elle… elle est morte, je suis désolée, répéta Nel avec une infinie tristesse dans le regard.

Bregan secoua la tête.

— Non. Non, ma mère est… Ils se trompent forcément.

Léna ne pouvait pas mourir. Pas elle. Elle était bien trop forte, bien trop…

Nel s'accroupit près de lui.

— Il y en a toujours un qui peut se tromper ou mal comprendre, mais dix d'entre eux m'ont communiqué le même message, Bregan… je… je suis navrée, je ne sais pas quoi dire, fit-elle la gorge serrée.

Bregan laissa passer quelques secondes de silence tandis que la boule dans sa gorge devenait dure et glacée. Morte… sa mère était morte ? Mais comment ? Qui avait…

— Bregan, ça va ? demanda Maya en le voyant devenir blême.

— Respire, respire, fit Cook en lui tapant dans le dos.

Le regard troublé par les larmes, Bregan plaça sa tête entre ses jambes puis se força à respirer à fond et à souffler lentement, comme si ce geste était la chose la plus importante au monde. Puis, après avoir calmé la douleur qui lui retournait le ventre et l'empêchait de réfléchir, il releva la tête et demanda d'une voix rauque :

— Mika ?

— Il est avec mon père. La meute veille sur lui, il va bien, répondit aussitôt Maya.

La louve n'avait pas été surprise d'apprendre que Jolan avait protégé le petit Taïgan. Les loups étaient très protecteurs avec les enfants, et son père, en tant que chef de meute, possédait un instinct de protection encore plus poussé que les autres.

— La meute ? gronda Bregan, surpris.

— D'après ce qu'ont dit les corbeaux, Mika s'est enfui en territoire Lupaï pour s'y cacher et les loups lui ont accordé leur protection, le rassura aussitôt Nel.

Bregan était au comble de l'angoisse. Qu'avait-il bien pu se passer pour que Mika soit contraint de fuir en territoire ennemi ? Les assassins qui avaient tué Léna avaient-ils tenté de lui faire du mal à lui aussi ? Et si c'était le cas, était-il encore en danger ?

— Je dois y aller, annonça Bregan en se levant. Je dois...

— Non, fit Cook, si tu rentres en terre Taïgan, ils n'hésiteront pas : ils te tueront toi aussi.

— Qui ça, « ils » ? demanda Maya.

Cook regarda Bregan tristement.

— Ceux qui ont tué sa mère. Ses opposants, ceux qui ne cessent de le défier : son oncle Vryr et toute sa clique.

Wan poussa un soupir excédé.

— Si tu étais plus fin politique, tigre, tu saurais que de simples opposants n'auraient jamais pris le risque d'éliminer la mère du futur roi sans la protection et l'aval des plus puissants membres de ton clan.

Maya fronça les sourcils, choquée.

— Tu parles des membres du Conseil Taïgan ? T'as perdu la tête ? Jamais les…

— Wan a raison : Vryr n'aurait jamais osé agir de la sorte sans la permission des conseillers, rétorqua Bregan d'une voix blanche.

Le visage de Cook se décomposa.

— Si c'est vraiment eux, alors… tout est fichu. Ni toi ni moi ne pourrons jamais retourner chez nous.

Une dangereuse lueur s'alluma dans le regard de Bregan.

— Et pourquoi pas ?

Cook le dévisagea d'un air incrédule.

— Ce serait du suicide. Même si tu les défiais, ils…

— Qui te parle de les défier ? Ils n'ont pas joué selon les règles, je ne vois pas pourquoi je devrais, moi, m'en soucier, fit remarquer Bregan d'un ton glacial.

Bregan avait été submergé par toute une vague d'émotions – la peine, la tristesse, la souffrance –, mais c'était la colère, une colère froide, impitoyable, dévastatrice, qui guidait à présent son cœur, son esprit et chacune de ses réactions.

— À quoi tu penses ? l'interrogea Cook.

— Je vais les éliminer un par un, Cook. Je vais les exécuter comme ils ont exécuté ma mère, décréta-t-il avec un mélange de haine et de concentration.

Wan esquissa un rictus.

— Je savais qu'on n'était pas si différents tous les deux.

Maya regarda Bregan, le ventre noué. Il n'y avait plus ni lumière ni chaleur dans son magnifique regard émeraude.

— Non. Non, c'est bien trop risqué, tu vas forcément te faire prendre, objecta-t-elle.

— Bregan est le meilleur élève d'Assim, notre exécuteur en chef. Si quelqu'un peut y arriver, c'est bien lui, affirma Cook.

Les exécuteurs étaient les tueurs du clan tigre. Efficaces, précises et patientes, leurs attaques étaient fulgurantes et ils ne laissaient généralement ni preuves ni cadavres. En tant qu'héritier, Bregan avait été contraint de suivre plusieurs formations : pisteur, chasseur, guerrier, sentinelle… Mais celle où il avait excellé était sans conteste celle qu'il avait suivie auprès du traqueur et exécuteur principal des Taïgans.

— Et puis je l'aiderai. Après tout, dans ce domaine, je ne suis pas trop mauvais moi non plus, ajouta Cook avec un regard mauvais.

— Je sais qu'on ne me le demande pas, mais je veux bien te donner un coup de main moi aussi, déclara soudain Wan.

— Pourquoi as-tu l'air étonné ? Tu connais des Serpaïs qui ne rêveraient pas de décimer un Conseil Taïgan, toi ? demanda cyniquement Wan.

Bregan lui jeta un regard suspicieux.

— Les Serpaïs ne font jamais rien pour rien, que voudras-tu en échange ?

— Une promesse. La promesse de me céder les plaines de Kiloth une fois que tu seras couronné roi, répondit Wan.

— Tu plaisantes ?

Wan haussa les épaules.

— C'est ce que ton cousin Sirus m'avait offert en échange de sa vie.

— Mon cousin était un imbécile.

— Je peux difficilement prétendre le contraire.

Bregan secoua la tête.

— Désolé. C'est trop cher payé…

Wan s'esclaffa.

— Tant pis, j'aurais essayé. Mais je viens quand même...

— Moi aussi je veux venir avec vous ! intervint Maya.

Wan et Bregan se tournèrent aussitôt vers elle et répondirent en chœur :

— Pas question !

— Mais...

— Nel et toi, vous devez rentrer et parler à vos Conseils respectifs. Les humains ne s'en tiendront probablement pas là, argumenta Bregan.

— Je ne peux pas rentrer, tu le sais, protesta Maya en baissant la tête.

— Tu dois le faire, Maya. Il faut les avertir. Tu es l'héritière des Lupaïs, tu dois prendre soin des tiens, insista Bregan.

Maya garda le nez obstinément baissé.

— Je ne suis plus rien. Je suis une paria.

— Tu es la fille de ton père et la princesse des loups, déclara Wan en soulevant son menton pour la contraindre à le regarder.

Puis il plongea son regard pourpre dans celui de la louve.

— Et ne laisse plus jamais ces imbéciles prétendre le contraire.

Maya écarquilla les yeux devant l'expression du Serpaï. Il pensait vraiment ce qu'il disait et il était furieux. Furieux de ne pas la voir réagir. Furieux des doutes qui l'avaient envahie. Furieux qu'elle ait si vite abandonné.

— Wan… il s'agit de mon Conseil. Je ne peux pas revenir et leur dire : « Coucou, vous avez décidé de me bannir mais je m'en fiche et j'ai décidé de passer outre ! »

— Pourquoi ? Qu'est-ce qui t'en empêche ? Tu as peut-être oublié qui tu es, mais moi pas. Un jour, plus tard, quand nous serons chacun à la tête de nos clans, je devrai peut-être te tuer…

Puis il ajouta d'un ton malicieux :

— Mais pour ça, pour avoir l'honneur de me combattre et éventuellement de me terrasser, il va falloir que tu te battes pour reprendre la place qui t'est due, petite louve.

— Tu crois que je le peux ? demanda Maya.

Les lèvres de Wan se relevèrent en un sourire énigmatique.

— Je crois que tu peux tout, et c'est bien ce qui m'ennuie.

Il y avait tellement de confiance dans les paroles du Serpaï que ce fut comme un électrochoc pour la Lupaï. Il avait raison. Elle ne pouvait pas abandonner les siens ni passer sa vie à fuir ou à se cacher. Elle valait mieux que ça. Et puis, tout ça, ce n'était pas de sa faute mais celle des humains. C'étaient eux la cause de tous ses problèmes, pas elle. Et elle avait bien l'intention de le faire comprendre à ces crétins de conseillers !

— Très bien. Mais attends-toi à ce que je te rende la vie difficile quand je deviendrai chef de meute.

Wan se mit à rire.

— Mais j'y compte bien, petite louve, j'y compte bien !

*

Nel s'était envolée avec Maya sur le dos. Toutes deux avaient décidé de faire le reste du voyage ensemble et de laisser Bregan, Cook et Wan mettre tranquillement au point leur plan meurtrier. Bregan les suivit des yeux jusqu'à ce qu'elles se transforment en un lointain point noir dans le ciel, puis il se tourna vers Wan :

— Ma mère est morte et nous avons un certain nombre de décisions à prendre. Mais plus tard, une fois que tout sera réglé, il faudra qu'on ait une petite discussion tous les deux.

Wan eut un petit sourire en coin.

— Laisse-moi deviner : c'est à propos de Maya ?

Un filet d'énergie s'échappa du Taïgan.

— Que se passe-t-il entre vous deux ?

— Pourquoi ? Tu es jaloux ?

Un éclair de colère passa sur le visage de Bregan.

— Ne t'approche plus de Maya.

Wan lui jeta un regard ironique.

— Il faut savoir ce que tu veux : il n'y a pas longtemps tu m'interdisais de m'en prendre à elle, et maintenant tu me reproches d'être trop gentil…

Les yeux de Bregan brillèrent de rage contenue.

— Maya n'a rien à faire avec toi. Ne lui parle pas, ne la touche pas…

Toute trace d'ironie quitta le regard de Wan et il répliqua d'un ton aussi tranchant qu'une lame de couteau :

— Tu as raison : elle n'a rien à faire avec aucun de nous. Elle est la future souveraine du clan Lupaï et plus tard, quand le moment sera venu, elle choisira un compagnon parmi les siens parce que c'est ainsi que les choses doivent être.

Bregan fronça les sourcils en le scrutant intensément.

— C'est drôle… Des mots sensés sortent de ta bouche mais tes yeux me chantent une tout autre chanson, Serpaï…

— Bregan, ce n'est ni le lieu ni le moment, le rappela à l'ordre sèchement Cook.

Wan et Bregan s'affrontèrent un long moment du regard puis reportèrent enfin leur attention sur le Taïgan.

Cook leur sourit et demanda doucement :

— Alors, qui fait quoi ?

30

Maya avait prudemment attendu l'heure de la relève des sentinelles pour se glisser au cœur du territoire Lupaï, et maintenant qu'elle se dirigeait vers sa demeure en se frayant un chemin parmi les arbres, elle sentait les battements de son cœur s'accélérer. Qu'allait-elle faire si Jolan refusait de l'écouter ? S'il la chassait sans lui laisser le temps de s'expliquer ? Ou pire, si le Conseil décidait de la châtier ? Elle aimait sa meute et la plupart de ses membres mais elle savait que les loups pouvaient parfois se montrer bornés. Bornés et impulsifs.

— Papa ? fit-elle en franchissant le seuil de la maison.

Jolan surgit dans l'encadrement de la porte de la cuisine. Ses yeux croisèrent ceux de sa fille et il combla la distance qui les séparait en un éclair.

— Maya !!! s'écria-t-il en l'étreignant si fort qu'elle en eut le souffle coupé.

— Aïe ! gémit-elle. Doucement, j'ai mal au dos…

Le combat avec Wan et le vol sur le dos de Nel n'avaient rien arrangé et sa blessure s'était légèrement rouverte.

Jolan la relâcha et l'examina d'un air inquiet :

— Tu es blessée ?

— Ne t'en fais pas, c'est en train de cicatriser.

Il se crispa.

— Tu t'es battue ?

— C'est une longue histoire…

— Tu as une sale mine.

— Oui, j'imagine que oui, fit-elle avec un sourire triste.

— Tu es sûre que ça va ?

Elle secoua la tête.

— Non… Cléa… Cléa est morte, papa, lâcha-t-elle dans un souffle.

Un silence assourdissant envahit la pièce tandis que Jolan blêmissait. Morte, la petite Cléa ? Non…

— Que s'est-il passé ?

Maya sentit sa gorge se serrer.

— On a été attaquées par un démon, au sud des terres des hommes… Je n'avais jamais vu une créature comme celle-là.

— Un démon ? Comment as-tu survécu si c'était un…

— C'est Wan… Wan a risqué sa vie pour me sauver. Et c'est lui qui… il est tellement puissant, tu n'en as pas idée…

Wan ? Le monstrueux héritier des Serpaïs avait risqué sa vie pour sauver Maya ?

— Tu n'as pas l'air de me croire, dit Maya en remarquant l'expression incrédule qui s'affichait sur le visage de Jolan.

— Eh bien, si tu m'avais dit que les héritiers des Taïgans ou des aigles t'avaient secourue… mais le prince des serpents ? J'avoue que je ne peux que m'interroger. Comprends-moi, je lui suis très reconnaissant de t'avoir sauvé la vie, tu n'imagines pas à quel point, mais je connais sa réputation et…

— … il n'est pas ce que tout le monde imagine. Il est…

Elle chercha le mot adéquat et dit finalement :

— … complexe.

— Complexe ?

Maya haussa les épaules.

— C'est le seul mot qui me vienne à l'esprit.

Jolan inspira profondément.

— J'ai l'impression que tu as vécu des moments difficiles, tu as l'air complètement perdue.

— Eh bien, je suis choquée et triste, mais non, je ne suis pas perdue, papa, le détrompa-t-elle aussitôt. Et il y a des choses importantes dont je dois te parler…

Il la dévisagea longuement puis acquiesça avant de se diriger vers la cuisine.

— Je vais te préparer une infusion d'orties, on discutera après.

Maya le suivit puis s'installa sur une chaise. Quand son bol fut prêt, Jolan le posa sur la table et s'assit face à elle.

— Je t'écoute.

Maya hocha la tête et commença son récit. De temps en temps, Jolan émettait un grognement tandis qu'elle lui narrait l'histoire, mais il ne l'interrompit pas une seule fois.

— Voilà... tu sais tout, conclut-elle en attendant sa réaction.

Qui ne se fit pas attendre.

— Les humains sont...

Les mots s'étranglèrent dans la gorge de Jolan tant il était furieux.

— Je sais. On a momentanément résolu le problème, mais ils pourraient envoyer d'autres hommes sur les terres mortes et faire une nouvelle tentative, soupira Maya.

— Oh, ça reste à voir ! Je crois qu'il est grand temps de prendre une décision en ce qui les concerne, décréta Jolan avec une détermination qui ne laissait aucun doute sur ses intentions.

— Je sais que... mais tu crois que je pourrais rester ici cette nuit ? Je suis fatiguée et je dois aussi parler avec Mika. Ce qu'il vient de vivre, le fait de perdre sa mère... il doit sûrement avoir besoin d'une amie, tu comprends ? demanda Maya d'une voix hésitante.

— Reste autant que tu le désires. Tu es ici chez toi.

Maya fit les yeux ronds.

— Tu ne m'en veux pas ?

— De quoi ?

— De m'être enfuie.

Jolan la regarda d'un air sérieux.

— Je te mentirais si je te disais que ça ne m'a pas mis en colère sur le coup, mais maintenant que je sais ce qu'il s'est passé et ce qui t'a fait agir de la sorte, je pense parvenir, sinon à accepter, du moins à comprendre tes raisons… Je ne dis pas que c'était la bonne décision, mais sans toi et tes amis nous serions tous en grand danger aujourd'hui.

— Si seulement le Conseil pouvait se montrer aussi tolérant, marmonna Maya avec amertume.

Jolan se leva de sa chaise.

— Je me charge du Conseil. Toi, tu vas aller te rafraîchir un peu, ta sœur et le petit louveteau ne devraient pas tarder.

— Où sont-ils ?

Jolan sourit.

— Malak a décidé de les emmener chasser.

Maya sourit à son tour, puis elle se dirigea vers le couloir et demanda, avant de poursuivre son chemin vers sa chambre :

— Tu… tu es certain que ça ne va pas te créer d'ennuis si je reste ?

Jolan eut un rictus effrayant.

— Je te l'ai dit : tu n'as plus aucune raison de t'inquiéter.

*

— Eh Mika ! Tu partageras ton lièvre avec moi ? demanda Hope en regardant la proie que tenait le petit Taïgan entre ses mains.

— Mais c'est à moi ! protesta le petit Taïgan.

— Dans la meute, on chasse en groupe et on partage le gibier qu'on a chassé et tué, expliqua patiemment Malak.

Mika lui jeta un regard étonné.

— Ah bon ? Ben chez nous, c'est pas du tout comme ça…

— Ben chez nous, si ! répliqua Hope en lui tirant la langue avant de pénétrer dans la maison.

— Bonjour.

Maya vit six paires d'yeux se tourner dans sa direction.

— Maya ! hurlèrent ensemble Hope et Mika avant de se précipiter vers elle.

— Doucement, petits chenapans, doucement, ou vous allez me broyer les os ! s'esclaffa Maya en s'efforçant de ne pas gémir sous leur assaut.

Malak les observa un instant, attendri, puis il se tourna vers Jolan :

— Elle est là et elle va bien. Tu es rassuré ?

Jolan hocha la tête.

— Et maintenant ? Que comptes-tu faire ? demanda Malak.

— Le Conseil doit se réunir dans une heure, répondit laconiquement Jolan.

Le chaman eut un large sourire.

— J'ai hâte d'y être.

— Et moi donc…

31

Nel avait volé jusque chez elle avec la peur au ventre. Cette fois, Aeyon ne passerait pas l'éponge. Elle n'allait pas se contenter de lui briser les ailes, non. Elle allait lui crever les yeux, ou pire. Et pourtant, en dépit de la panique qui la terrassait et l'empêchait pratiquement de penser, elle savait qu'elle n'avait pas le choix. Elle devait avertir son clan. Elle devait faire part aux siens de ce qu'elle avait découvert. Elle devait leur parler de la menace humaine.

— Où étais-tu ?

Aeyon paraissait plus majestueuse et plus impressionnante que jamais. Ses longs cheveux noirs encadraient son visage à la peau translucide à la perfection et son regard, son regard était si glacial qu'il pouvait vous pétrifier sur place.

Nel avança vers sa mère en inspirant profondément :

— Sur les terres mortes. Et avant que tu ne dises ou fasses quoi que ce soit, je veux d'abord que tu m'écoutes… il en va de nos vies…

Quand Maya entra dans la salle du Conseil, les conseillers étaient en train de s'affronter dans une discussion animée.

— Elle ne fait plus partie de la meute, gronda Thui-Lou, une vieille louve revêche aux cheveux blancs comme neige, nous n'avons pas à…

— Nous avons déjà accepté de l'entendre, reviendrais-tu sur ta parole ? menaça Malnis, un vieux Lupaï aveugle à la peau sombre.

— Je suis d'accord avec Thui-Lou, déclara Tandom, un conseiller au ventre rond et aux yeux globuleux, pourquoi devrions-nous accepter d'entendre cette traîtresse ? Elle n'est plus des nôtres !

— Vous ne trouvez pas qu'il est un peu tard pour changer d'avis ? intervint Maya assez fort pour que tous puissent l'entendre.

Un profond silence s'abattit aussitôt dans la pièce et tous les yeux se tournèrent immédiatement vers elle.

— Vous savez, lorsque je suis partie, j'étais bien décidée à ne jamais revenir, mais je me suis rendu compte combien ça aurait été déshonorant et lâche de ma part. Je suis votre princesse et l'héritière de mon clan, et je refuse de fuir mes responsabilités. Pas alors que mon peuple est en danger…

Horatus, un loup d'une quarantaine d'années au regard sombre, haussa les sourcils.

— De quoi parles-tu ?

Thui-Lou ricana.

— Ne l'écoutez pas, elle raconte n'importe quoi pour se rendre intéressante ! La vérité, c'est que…

— Tais-toi, vieille folle ! Tais-toi ou je te jure que je te tue ! cracha Maya en poussant un grondement si terrible qu'il fit trembler les murs.

Les yeux de Maya s'étaient remplis d'or et il émanait d'elle une telle énergie qu'elle provoquait des picotements sur la peau des personnes présentes. Maya irradiait littéralement de puissance. Pour la première fois, elle semblait avoir complètement embrassé le pouvoir qui sommeillait en elle. Et tous la regardaient à présent, inquiets et fascinés.

— Elle va bientôt te surpasser, murmura Malak à Jolan.

Jolan sourit.

— C'est fort probable.

— Je sais que mon père a des ennemis parmi vous, mais je vous déconseille de me considérer encore une fois comme une faiblesse, sa faiblesse, parce que je vous jure que vous le regretterez, gronda de nouveau Maya.

Elle balaya tous les visages d'un regard si menaçant que quelques murmures désapprobateurs fusèrent. Jolan se redressa aussitôt et frappa du poing sur la table.

— Je vous ordonne d'écouter ce que cette enfant a à dire ! Si vous n'êtes pas d'accord avec la manière dont je dirige cette meute, défiez-moi ! Défiez-moi, mais je ne vous laisserai plus jamais vous servir de ma fille pour m'atteindre ! C'est compris ?

Plusieurs des conseillers détournèrent le regard et gardèrent prudemment le silence. Malnis, le vieux loup aveugle, affichait, lui, un large sourire.

— Tu as toute notre attention, jeune louve, parle, nous t'écoutons.

*

Dissimulés sur le territoire des hommes, non loin de la frontière des Taïgans, Wan, Bregan et Cook attendaient en devisant que la nuit tombe. Leur excitation était aussi palpable que l'électricité dans l'atmosphère pendant un orage.

— Pourquoi est-ce que je n'en ai que deux? demanda Wan en grimaçant.

— Ne te plains pas, tu en as autant que moi, soupira Cook.

— Je vous l'ai dit, il ne s'agit pas de décimer l'intégralité du Conseil, mais seulement de tuer ceux qui soutiennent mon oncle, répondit sèchement Bregan.

— C'est idiot. Quand tu as une fourmilière chez toi, tu n'écrases pas seulement la reine mais toute la fourmilière, répliqua Wan.

Bregan fronça les sourcils.

— C'est ce que tu as fait ? C'est pour cette raison que ton Conseil ne remet jamais tes décisions en cause ?

Wan haussa les épaules.

— En réalité, j'ai tué le roi il y a deux ans… j'imagine que ça facilite les choses…

Les Serpaïs se montraient très discrets sur ce qu'il se passait sur leur territoire et ils ne laissaient jamais filtrer la moindre information. Nul ne savait comment leur souverain était mort ni qui dirigeait vraiment les serpents. Quand un message devait être délivré aux Serpaïs, les autres clans se contentaient de l'adresser au Conseil lui-même.

Bregan lui jeta un regard surpris.

— Tu as tué le roi des Serpaïs ?

— Tu n'écoutes pas ce que je te dis : *je* suis le nouveau roi des Serpaïs. Je suis simplement encore trop jeune pour porter officiellement la couronne.

Bregan et Cook échangèrent un regard. Wan leur avait dit qu'il avait tué le roi deux ans plus tôt, il n'avait donc que 14 ans. Ce qui constituait un exploit inimaginable pour un garçon de cet âge d'autant que plus les Serpaïs vieillissaient, plus ils devenaient puissants et forts.

Cook ricana.

— Si je comprends bien, on doit t'appeler « Votre Majesté » ?

Wan planta son regard dans le sien et répondit avec un petit sourire en coin :

— Pourquoi pas ?

Cook s'esclaffa

— Alors là, tu rêves !

Bregan le regarda d'un air sceptique.

— Je ne comprends pas comment ça fonctionne... Je veux dire, ils t'ont laissé fréquenter l'école des humains, ils t'ont laissé partir détruire la citadelle d'Havengard et ensuite t'enfuir avec nous sur les terres mortes, et tout ça sans gardes ni protection alors que tu es leur souverain ?

Wan eut un sourire moqueur.

— Mon clan n'a rien à voir avec le tien, Taïgan. La hiérarchie y est beaucoup moins influente. On n'hérite pas du titre de ses parents. D'abord parce qu'on ignore qui ils sont et ensuite parce que chez nous, tout fonctionne au mérite. Être roi signifie seulement que tu es le Serpaï le plus fort et le plus puissant de tout le clan.

Cook écarquilla les yeux.

— Tu veux dire que d'autres Serpaïs peuvent à tout moment tenter de te tuer pour devenir roi à leur tour ?

Wan acquiesça.

— S'ils s'en sentent capables…

Bregan dévisagea longuement Wan en se félicitant de ne pas être né Serpaï. Il ne redoutait pas les combats, mais devoir surveiller sans cesse ses arrières pour éviter les attaques perfides des membres de son clan devait être épuisant. Il le comprenait d'autant plus qu'il se trouvait dans une situation similaire. La seule différence, mais elle était de taille, était qu'une fois son problème avec Vryr et les membres du Conseil réglé, le Taïgan deviendrait le souverain incontesté et incontestable de son clan jusqu'à la fin de sa vie.

— Quelqu'un a faim ? demanda Cook en entendant son ventre gargouiller.

Wan et Bregan hochèrent aussitôt la tête.

— Je vais par là, décida Bregan en désignant l'ouest.

— Et moi par là, annonça Wan en montrant la direction opposée.

Bregan sourit.

— Décidément, on ne sera jamais d'accord…

Wan lui retourna son sourire et siffla avant de se transformer :

— Le contraire aurait été étonnant…

*

Thornbul, le hibou solitaire, le seul Yokaï qui n'était ni un Lupaï, ni un Taïgan, ni un Serpaï, ni un Rapaï, volait de clan en clan en se demandant ce qu'il pouvait bien arriver de si grave pour qu'il y ait autant d'agitation tout à coup. Il avait d'abord été appelé par la reine des aigles, puis par les loups… et ne cessait depuis de faire des allers et retours en portant des messages aux uns et aux autres sans discontinuer.

— Thornbul, dis à Aeyon que c'est d'accord et que les loups seront présents, fit Jolan en lui tendant une nouvelle lettre.

Au lieu de s'envoler avec le message du chef de meute, le Yokaï prit forme humaine.

— Quelqu'un peut me dire enfin de quoi il s'agit, nom de nom ! Qu'est-ce qu'il vous prend à tous !?

Le loup regarda le vieil homme à la barbe grise et aux yeux ronds avec indulgence. Thornbul était un être juste et neutre. Incorruptible, il ne trahissait jamais les confidences des uns et des autres, ne lisait jamais les messages qu'il transportait et il se tenait toujours sagement à l'écart des conflits.

— Les dirigeants des quatre clans se réuniront cette nuit.

— Un Grand Conseil ? Vous organisez un Grand Conseil cette nuit ?

Le hibou n'en revenait pas. Les clans n'avaient jamais, jamais organisé ce genre d'événements en si peu de temps. Habituellement, il leur fallait des semaines pour se mettre d'accord sur une simple date.

— En effet.

Une lueur inquiète s'alluma dans les yeux de Thornbul.

— Alors ça y est… le grand changement arrive…

Jolan haussa les sourcils.

— Le grand changement ?

Thornbul poussa un soupir et se contenta d'ajouter :

— Je ne l'attendais pas si tôt…

Puis il se transforma et prit le message de Jolan avant de s'envoler sans plus poser de questions.

32

Quand Dragmyr ouvrit les yeux, il comprit tout de suite que quelque chose ne tournait pas rond. Puis il aperçut Bregan qui se penchait au-dessus de lui et son pouls se mit à battre aussi vite que les ailes d'un colibri.

— Ce… ce n'est pas moi…, balbutia-t-il, une lueur de panique dans le regard, ta mère elle… ce n'est pas moi, elle…

Mais Bregan n'écoutait pas. Il se refusait à écouter quoi que ce soit. D'un mouvement vif de la main, il lui trancha la gorge avec un couteau. Le sang de Dragmyr jaillit sur les draps de son lit, ses balbutiements se transformèrent en gargouillis, puis il n'y eut plus un bruit. Rien. Rien que le silence.

— Et de un, murmura Bregan d'un air satisfait avant de quitter la chambre en jetant un dernier regard sur le corps du conseiller.

Ses yeux étaient écarquillés et le choc se lisait encore sur son visage. Le Taïgan sourit puis disparut dans la nuit comme un fantôme.

*

Cook, allongé sur le sol près de Wan, sortit son couteau de son étui. Posant le doigt sur la lame, il grimaça. Il n'était pas aussi coupant qu'il l'aurait voulu. Ce n'était pas très grave en soi, il avait été suffisamment formé à l'utilisation des armes blanches par Assim pour savoir qu'il pouvait compenser ce petit défaut en y mettant la force nécessaire.

— Tu en veux un ? J'en ai volé un autre si tu veux, murmura-t-il à Wan en sortant un deuxième couteau.

Ce dernier secoua silencieusement la tête.

— Tu ne veux pas d'arme ? demanda Cook, étonné.

— Je n'en ai pas besoin, chuchota le Serpaï avec suffisance.

Cook fronça les sourcils.

— Wan, je te rappelle que tu ne peux pas muter…

Il avait beau faire nuit noire, les sentinelles voyaient parfaitement dans l'obscurité. Elles n'auraient aucun mal à repérer un serpent géant dans les ruelles étroites du village Taïgan.

— Je t'ai dit que je n'en avais pas besoin, répéta Wan d'un ton légèrement agacé. Bon alors, on y va ?

Cook le regarda d'un air intrigué et acquiesça. Sans couteau et sans arme à feu, jugée trop bruyante, tuer un Taïgan n'était pas facile. Même lorsque celui-ci était plongé dans le sommeil.

— C'est laquelle ? murmura Wan après qu'ils se furent faufilés en silence dans une ruelle.

— Celle-ci, répondit Cook en lui montrant une maison, moi je vais là, ajouta-t-il en indiquant une demeure un peu plus loin.

Le Serpaï hocha la tête, puis il escalada souplement la gouttière.

*

Assim sourit en regardant l'ombre passer de toit en toit. Il lui avait suffi d'un regard pour savoir de qui il s'agissait. Il se tourna aussitôt vers les sentinelles qui se tenaient au coin de la rue ; elles regardaient dans toutes les directions, cherchant à détecter chaque détail, chaque mouvement suspect, sans rien remarquer. Invisible, son élève était devenu invisible à tout autre regard que le sien. Sentant une bouffée de fierté l'envahir, le traqueur inspira profondément et se mit en chasse.

*

Wan sortit ses crochets et les planta dans le cou du Taïgan. Ce dernier poussa un cri qui aurait réveillé sa femme si la malheureuse avait été encore en vie. Il posa ensuite sa main sur sa poitrine dans un mouvement aussi dramatique que pathétique et s'écroula sur son lit. Puis Wan quitta la chambre en sifflotant et sortit tranquillement par la porte d'entrée.

Quelques minutes plus tard, Cook le rejoignait en courant.

— Ça a été ?

— Pourquoi as-tu été si long ? murmura Wan d'un ton sévère.

— Je n'ai pas été long.

— Si, tu as été long, insista Wan.

— Non, je n'ai… Eh ! Mais t'as un truc bizarre dans la bou… Des crochets ? Tu as des crochets alors que t'es sous forme humaine ? fit Cook en écarquillant les yeux.

Wan fronça les sourcils et les crochets se rétractèrent aussitôt.

— Comment est-ce que…

— Cesse de poser des questions stupides et indique-moi la prochaine cible, le coupa Wan avec un regard noir.

*

Diverses émotions ne cessaient de défiler dans l'esprit de Vryr. De plus en plus vite. Et l'ébranlaient comme des éclairs zébrant un ciel d'orage.

— Pose cette arme, mon garçon, tu ne vas pas oser me faire de mal, hein ? bredouilla le Taïgan, le menton tremblant.

Le couteau appuyé sur sa trachée, Bregan l'observait, impassible. Il n'allait pas demander pourquoi. Il savait parfaitement pourquoi son oncle avait tué Léna. Il n'allait pas non plus exiger qu'il lui présente des excuses. Il ne voulait pas non plus savoir si Vryr était capable d'éprouver du remords. Non. Il ne désirait rien de son oncle. Rien, excepté sa mort.

— Besoin d'un coup de main ? résonna soudain une grosse voix.

Bregan détourna légèrement le regard sans lâcher son arme. Assim se tenait dans l'encadrement de la porte. Il souriait.

— Sauvez-moi, Assim ! Tuez-le ! Tuez ce garçon ! hurla Vryr en reprenant brutalement espoir.

Bregan n'y réfléchit pas à deux fois. Il tua Vryr avant qu'Assim ne puisse esquisser un geste, puis se retourna vivement pour faire face à son prochain adversaire.

— Rapide, précis, efficace, approuva le traqueur. Je te félicite, mon garçon.

Bregan, déconcerté, ne put s'empêcher d'afficher un sourire ironique.

— Ce serait bien la première fois…

— J'ai été dur avec toi, je le reconnais, mais ne te méprends pas : je suis et j'ai toujours été très fier de mon élève, déclara Assim d'un ton éminemment sincère.

L'odeur du sang de Vryr envahissait les narines des deux Taïgans mais aucun d'entre eux n'y prêtait la moindre attention. Ils s'observaient, évaluant leurs chances de victoire en cas d'affrontement.

— Assim, je n'ai pas fini ce que je suis venu faire aujourd'hui. Si tu veux te battre, il faudra attendre un peu avant de m'affronter, je te promets que je ne me défilerai pas, prévint Bregan.

Assim le dévisagea longuement.

— J'ai tout de suite su, en apprenant ce qu'ils avaient fait à ta mère, que tu reviendrais te venger…

— Alors pourquoi ne pas m'en avoir empêché ? Tu aurais pu alerter le Conseil ou même te mettre à ma recherche…

Les lèvres du traqueur se soulevèrent en un sourire énigmatique.

— J'aurais pu, oui…

Bregan, intrigué, planta son regard dans celui d'Assim.

— Tu n'as même pas fait un geste pour sauver Vryr… On dirait que… oui, on dirait que c'est ce que tu voulais. Tu voulais qu'il meure. Tu voulais que je le tue, pas vrai ? devina Bregan.

Le traqueur ne prit même pas la peine de nier.

— Je l'espérais.

— Pourquoi ?

— Parce qu'il nous faut un roi. Un véritable roi. Pas un pantin ridicule intronisé par le Conseil, expliqua posément Assim.

Bregan était surpris. Jusqu'à présent, personne n'avait jamais entendu le traqueur contester une décision du Conseil. Il suivait ses ordres et faisait son boulot, un point c'est tout.

— Si je comprends bien, je peux partir et exécuter maître Typhon sans que tu t'interposes ?

— Je ne m'interposerai pas. Mais pour maitre Typhon, tu ne le trouveras pas ici.

— Où est-il ?

— Lui et sa garde personnelle sont partis à une séance du Grand Conseil.

Bregan tressaillit. Le Grand Conseil ? Cela voulait dire que les dirigeants des quatre clans avaient pris la décision de se réunir en pleine nuit…

— Où a-t-elle lieu ?

— Au pentacle.

Le pentacle était un lieu de culte sacré pour tous les Yokaïs. Il se trouvait sur le seul endroit des terres des Yokaïs n'appartenant à personne. Lupaïs, Taïgans, Rapaïs et Serpaïs venaient librement y prier la créatrice de mondes.

— Autre chose, ajouta Assim, tu n'es pas seul. De nombreux Taïgans sont à tes côtés. Des gens qui étaient fidèles à ton père, d'autres qui détestent Vryr, d'autres qui n'ont pas cru aux mensonges du Conseil concernant ta mère, d'autres encore qui t'ont vu combattre lors les défis et qui t'admirent…

Bregan sourit.

— Si je comprends bien, tu me conseilles de revenir une fois ma tâche terminée ?

— Que voulez-vous que je vous dise, à part que nous avons hâte de vous voir reprendre la place qui était la vôtre, Altesse, répondit Assim en le vouvoyant pour la première fois avant de lui tourner le dos et de disparaître.

33

Sous un ciel nocturne piqué d'étoiles, Wan, Bregan et Cook avançaient en direction d'un large espace sans arbres en forme de pentacle. Entièrement recouvert d'herbe, trônait en son centre un bâtiment constitué de pierres blanches où perçaient de petites vitres en forme de cercle. Des dizaines de lanternes disposées sur le sol l'entouraient et il semblait briller comme la lune dans le firmament. Quatre groupes composés d'une dizaine de

Taïgans, de Serpaïs, de Rapaïs et de Lupaïs surveillaient les horizons et veillaient à ce que nul ne perturbe la réunion qui se déroulait à l'intérieur de la bâtisse.

— Ils ont tous choisi d'amener des gardes du corps, ricana Wan, on ne peut pas dire, la confiance règne…

— Je me demande pourquoi ils se sont réunis en pleine nuit, fit Cook.

— J'imagine que Nel et Maya sont finalement parvenues à les convaincre du danger que représentent les humains, considéra Bregan.

— Et ça ne pouvait pas attendre qu'il fasse jour ? grommela Cook.

Bregan s'arrêta pour observer les tigres présents. Plusieurs d'entre eux cessèrent immédiatement de parler en le reconnaissant. Puis des murmures hésitants se firent entendre et trois des gardes avancèrent pour se mettre en travers de leur chemin.

— Interdiction d'approcher, traître ! ordonna le premier.

— Nous avons l'ordre de t'arrêter ! feula le deuxième.

Bregan fronça les sourcils.

— Pour quel motif ?

— Tu as lâchement assassiné le fils du roi ! l'accusa le troisième.

Wan se mit à rire.

— Je ne cesse de le répéter, mais ce n'est pas lui, c'est moi qui ai tué cet idiot !

Bregan soupira et gronda avant de se transformer.

— Je n'ai pas tué Sirus, et Vryr n'est pas le roi ! *Je* suis votre roi !!!

Cook sourit jusqu'aux oreilles puis, se tournant vers Wan :

— Tu en es ?

— Tu m'invites à jouer avec vous ?

Cook haussa les épaules.

— Si cela te convient…

— Je me sentirais gêné de refuser, répondit Wan en souriant.

Puis il s'adressa aux serpents qui arrivaient en courant :

— N'intervenez pas ! C'est une affaire personnelle !

Les Serpaïs affichèrent un visage mécontent mais s'écartèrent aussitôt.

— Maya ! Regarde ! C'est Bregan, Cook et Wan ! hurla Nel en lui montrant du doigt les trois garçons. Des Taïgans les attaquent !

Maya regarda la scène et poussa un terrible grondement. Puis elle laissa éclater son pouvoir et muta à la vitesse de l'éclair.

*

— Les humains ont dépassé les bornes, siffla Yourk, le conseiller Serpaï. Je ne les croyais pas capables d'une telle perfidie.

— La force d'un ennemi réside souvent dans la brouille qui divise tous ceux qui s'opposent à lui, soupira Jolan.

Aeyon acquiesça.

— Exact. Ce qui arrive est notre faute. Nous nous sommes laissé distraire par nos petites chamailleries au lieu de nous concentrer sur notre véritable ennemi.

— Mais nous allons arranger ça, déclara Jolan.

Aeyon posa son regard froid sur le Lupaï.

— Que proposes-tu, loup ?

— De nous unir. Les enfants nous ont montré la voie. Nous devrions la suivre, répondit Jolan.

Maître Typhon se redressa brusquement.

— La voie ! Quelle voie ? Les héritiers nous ont trahis. Ils ont formé une coalition sans l'avis des Conseils et se sont comportés de manière irresponsable !

Puis il se tourna vers Yourk :

— Tu n'es pas de mon avis, Serpaï ? Tu ne penses pas que ton prince mérite une punition ?

Contre toute attente, le serpent se mit à rire.

— Mon prince n'est plus un enfant, Taïgan. Et je suis ici pour le servir, non pour critiquer ses décisions.

Une expression d'incompréhension s'afficha sur le visage de maître Typhon.

— Mais il a désobéi, il s'est rendu sur les terres mortes et…

Yourk asséna au Taïgan un regard méprisant.

— Son Altesse n'a à obéir à personne, elle est libre d'agir à sa guise.

— Bien dit, Yourk ! déclara Wan avec un sourire satisfait en entrant dans la pièce.

Le Serpaï se leva et s'inclina légèrement.

— Altesse, j'ignorais que vous seriez présent…

Wan lui fit un salut et s'installa confortablement sur le siège qu'occupait le conseiller quelques secondes plus tôt.

— Ne t'en fais pas, tout va bien, Yourk.

Maître Typhon plissa les yeux.

— Qu'est-ce que ça signifie ? Vous n'allez pas laisser cet enfant décider de…

— Fais preuve d'un peu de respect, tigre ! Cet enfant, comme tu dis, est le prince des Serpaïs. Lève-toi et sors de cette salle. Tu n'as rien à faire ici, entendit-il tout à coup derrière son dos

Bregan était entré à son tour dans la pièce, suivi de Maya, Cook et Nel.

— Que fais-tu là ? Gardes ! hurla maître Typhon.

— Inutile de crier, ils ne viendront pas, déclara Bregan avec une telle assurance que maître Typhon sentit sa gorge se serrer.

— J'en ai tué un, fit Cook.

— Et moi trois, ajouta Wan.

— Wan ne m'en a laissé qu'un, soupira Nel, déçue, en fusillant le Serpaï du regard.

Maître Typhon les fixa, pâle comme un linge.

— Comment… comment osez-vous !? Que se passe-t-il ici ?

— Vryr et les autres membres du Conseil sont morts. Je suis ton prince, soumets-toi, Taïgan ! feula Bregan.

Aeyon scruta Bregan de son regard glacial et demanda, en pinçant les lèvres :

— J'imagine que notre petite réunion est suspendue ?

— Ça ne durera qu'un instant, la rassura aussitôt Nel.

Jolan et Aeyon s'enfoncèrent confortablement dans leur siège puis regardèrent, impassibles, Bregan se saisir de maître Typhon et l'entraîner hors de la pièce.

Deux minutes plus tard, il s'asseyait face à eux, couvert de sang et le sourire aux lèvres.

— Bien, alors, où en étions-nous ?

La reine des aigles et Jolan regardèrent Wan et Bregan tour à tour, puis le chef de meute haussa les épaules et répondit :

— Nous évoquions la possibilité de conclure une alliance et d'attaquer les humains de manière concertée.

Bregan sourit.

— En voilà une bonne idée.

— Cela me convient parfaitement, approuva Wan.

Aeyon ignora délibérément Wan et leva les yeux vers Yourk.

— Le Conseil des Serpaïs est-il du même avis ?

— Son Altesse parle au nom du Conseil et de notre clan, répondit Yourk en se raclant la gorge d'un air embarrassé.

Aeyon poussa un soupir et dit en se levant :

— J'ai besoin d'un moment de réflexion.

Puis elle sortit en faisant discrètement signe à Nel de la suivre.

*

Aeyon était furieuse.

— Pourquoi ne m'as-tu pas dit que c'était Wan qui dirigeait en réalité le Conseil Serpaï ?

— Mais parce que je l'ignorais. Il n'en a jamais parlé, se défendit Nel.

— Ces serpents et leurs secrets ! cracha la reine des aigles d'un air dédaigneux. Un clan aussi puissant gouverné par un enfant… pff… inconcevable…

— Deux, rectifia aussitôt Nel.

— Quoi ?

— Deux clans. Bregan règne à présent sur celui des Taïgans.

— Mais ils n'ont pas l'âge d'être couronnés, lui fit remarquer Aeyon. Un nouveau Conseil doit être nommé au sein du clan Taïgan et le Conseil des Serpaïs est...

Nel l'interrompit :

— Ça ne changera rien. Les connaissants comme je les connais, ce sont eux qui prendront les décisions. C'était manifestement le cas de Wan, sans qu'on s'en doute. Il laissait probablement le Conseil gérer les affaires courantes de son clan mais pour ce qui est des plus importantes, il était sûrement seul à décider.

Des éclairs fusèrent des yeux de la reine des aigles.

— C'est d'une guerre que l'on parle ! Comment des enfants pourraient-ils affronter une telle situation ?

Nel soupira.

— Qu'est-ce qui te dérange ? Tu penses que tu ne pourras pas t'entendre avec eux ?

Aeyon lui jeta un regard menaçant.

— Pas aussi bien que toi, de toute évidence.

Nel déglutit.

— Maman…

— Nous en reparlerons plus tard, coupa sèchement Aeyon.

Puis elle retourna dans la salle de réunion, se rassit et déclara :

— Les Rapaïs acceptent la proposition du Grand Conseil.

34

Nel, Bregan, Maya, Wan et Cook, assis dans l'herbe, regardaient poindre l'aurore au-dessus du pentacle, le cœur et l'esprit troublés.

— Alors ça y est… la guerre va débuter. J'avoue que j'ai un peu de mal à réaliser, soupira Maya.

Ses longs cheveux blancs flottant sur ses épaules, la peau translucide et le regard inquiet, Maya semblait plus jeune et plus vulnérable que jamais. Bregan posa sa main sur la sienne et la serra très fort.

— Tout ira bien, je te le promets.

Maya plongea ses yeux dans son regard émeraude et inspira profondément. Garder ses distances. Elle s'était promis de garder ses distances avec le Taïgan. Et, étrangement, elle y parvenait mieux qu'elle ne l'aurait cru. Les battements de son cœur ne s'étaient pas accélérés à son contact. Sa peau n'avait pas frémi et elle restait parfaitement maîtresse de ses réactions.

Retirant lentement sa main, elle lui sourit.

— Je sais.

— Qu'est-ce que tu vas faire maintenant que tu les as tous tués, Bregan ? Tu vas choisir de nouveaux conseillers ? fit Nel à l'adresse du Taïgan.

Bregan poussa un profond soupir.

— Je l'ignore. Je n'ai pas vraiment eu le temps d'y réfléchir. Pour être honnête, je ne suis pas sûr d'être prêt, j'ai encore tellement de choses à apprendre… Si j'avais pu avoir un peu plus de temps, je…

— Le temps est un luxe que ni toi ni moi ne pouvons nous offrir, plus maintenant, le coupa sèchement Wan.

Bregan grimaça d'un air désabusé.

— Non, j'imagine que non… Et toi, comment as-tu fait ? Je veux dire, les Serpaïs n'ont pas la réputation de se soumettre facilement, et tous les membres de ton Conseil sont des adultes…

— Je ne vais pas te mentir. Ça n'a pas été facile. J'ai commis quelques erreurs, tu en feras toi aussi, c'est inévitable, répondit Wan, le visage grave.

Bregan fronça les sourcils. Chez la plupart des Serpaïs les yeux étaient comme des gouffres profonds et insondables au-dessus desquels on ne devait surtout pas se pencher, mais, à cet instant précis, ceux de Wan ressemblaient simplement à un miroir. Un miroir reflétant la vérité.

— Je n'aurais jamais cru entendre de tels mots sortir de ta bouche, fit Maya en dévisageant le Serpaï, étonnée.

— Je te l'ai dit, je suis quelqu'un de surprenant, répartit le Serpaï en la fixant intensément.

Maya détourna les yeux, mal à l'aise, puis acquiesça :

— Je vais finir par le croire.

Le dos de Bregan se tendit et son expression s'assombrit tandis qu'il les observait. Cook le sentit aussitôt.

— Le jour est levé, il est temps de rentrer. Tu dois t'adresser aux nôtres au plus vite, Bregan, lui conseilla-t-il.

Bregan reporta son attention sur Cook et, devant le regard implorant que ce dernier lui lançait, il ravala doucement la colère qui était en train de l'envahir. Cook avait raison, il avait des choses importantes à régler. Il n'avait pas le temps de se ridiculiser en se laissant aller à un stupide excès de jalousie. Et il n'était pas question non plus de s'en prendre à Wan avant que la guerre contre les humains ne soit terminée. Pas alors qu'il venait de signer une alliance avec les Serpaïs et les autres membres du Grand Conseil.

— Je te suis, fit-il en se relevant.

Maya l'imita aussitôt et ils échangèrent un long regard.

— Bonne chance, fit-elle.

Les yeux du Taïgan s'emplirent d'une lueur hésitante, puis il se pencha, effleura gentiment de ses lèvres la joue de Maya et disparut avec Cook moins d'une seconde plus tard.

— Je ne le pensais pas si timide, fit Nel en souriant avant d'ajouter, d'un ton sarcastique : Je dois y aller, ma mère doit avoir des tas de choses désagréables à me dire et je meurs d'impatience de les entendre.

Avec compassion, Maya la regarda s'éloigner pour se transformer, puis, réalisant que Wan était en train de s'éclipser discrètement, elle se mit à courir pour le rattraper.

— Wan… je voulais te remercier, fit-elle en lui attrapant le bras pour le faire pivoter vers elle. Pas de m'avoir sauvé la vie, mais d'avoir été à mes côtés et de m'avoir réconfortée au moment où j'en avais le plus besoin…

— Ne me remercie pas, je te l'ai dit, un jour, je devrai sans doute te tuer.

Elle leva vers lui un regard bleu saphir dépourvu de la moindre appréhension.

— Du moins tu essaieras…

Il s'esclaffa et passa un bras autour de la taille de Maya pour l'attirer contre lui.

— En attendant, sois prudente et prends soin de toi, petite louve. N'oublie pas que je ne serai pas toujours là pour te protéger.

Maya tenta de se dégager, mais sans succès. Le Serpaï la tenait fermement. Puis, avant même qu'elle ait le temps de comprendre ce qu'il se passait, il l'embrassa puis s'en alla en riant.

La louve, ahurie, gronda en le suivant des yeux :

— C'est moi qui te tuerai, Serpaï ! Tu me paieras ce que tu viens de faire, je te le jure !

Au loin, elle entendit le rire de Wan redoubler et se mit, malgré elle, à sourire.

TAÏGANS

Bregan (Héritier du clan Taïgan)
Cook (Meilleur ami de Bregan)
Léna (Mère de Bregan)
Mika (Petit frère de Bregan)
Vryr (Oncle de Bregan, prétendant au trône)
Maître Typhon (Chef du Conseil)
Sirus (Cousin de Bregan, fils de Vryr)
Assim (Traqueur du clan)

Dragmyr (Membre du Conseil)
Beratus (Guerrier affronté par Bregan dans l'arène)
Barh (Guerrier)
Tyr (Vieux Taïgan, tué dans le tome 1)

LUPAÏS

Maya (Héritière du clan Lupaï)
Cléa (Meilleure amie de Maya)
Jolan (Roi des Lupaïs, père de Maya)
Malak (Chaman de la meute)
Hope (Petite sœur de Maya)
Kyo (Petit frère de Cléa)
Thui-Lou (Vieille Lupaï, membre du Conseil)
Tandom (Membre du Conseil)
Horatus (Membre du Conseil)
Malnias (Vieux Lupaï aveugle, membre du Conseil)
Opus (Jeune Lupaï)
Callen (Sentinelle des loups, tuée dans le tome 1)

SERPAÏS

Wan (Roi du clan Serpaï)
Yourk (Conseiller Serpaï)
Miu (Garde-frontière)
Dji (Garde-frontière)

RAPAÏS

Nel (Héritière du clan Rapaï)
Aeyon (Reine des Rapaïs, mère de Nel)
Brym (Le grand corbeau)

AUTRE YOKAÏ

Thornbul (Vieil hibou solitaire, un Yokaï qui n'est d'aucun des quatre clans)

HUMAINS

Aganel (humain, chef de « Résilience », le mouvement de résistance des humains)

Duncan (humain, meilleur membre du mouvement « Résilience »)

Damian (Humain, membre du mouvement « Résilience »)

Syph (Humain, membre du mouvement « Résilience »)

Amar (Humain, membre du mouvement « Résilience »)

Composition et mise en pages
Nord Compo à Villeneuve-d'Ascq

Dépôt légal : novembre 2018
N° d'édition : L.01EJEN001441.A004
Loi n° 49-956 du 16 juillet 1949
sur les publications destinées à la jeunesse
Achevé d'imprimer en juillet 2020 en Espagne par Liberdúplex